菅政権の極反動攻撃を打ち砕け！

……りの拳（2020年９月19日）

辺野古新基地建設阻止！

沖縄県学連が県民大行動の先頭でたたかう（10月３日、キャンプシュワブ・ゲート前）

労学が首都で〈反ファシズム〉の雄叫び（10月25日、虎ノ門）

福岡市中心部に向けデモで進撃する九州の労学（10月18日）

「辺野古新基地建設阻止！」那覇市街を戦闘的デモ（10月25日）

10・18、25全国で〈反戦・反ファシズム〉の炎

「先制攻撃体制の構築阻止!」の声を名古屋市街に轟かせる（10月25日）

「安保粉砕・改憲阻止」大阪市街を戦闘的デモで席巻（10月25日）

菅政権の反動攻撃粉砕！札幌・大通を進撃する北海道の労学（10月25日）

菅政権の学術会議会員任命拒否弾劾！

全学連が国会前行動に決起（9月19日）

たたかう学生が〈反ファシズム〉の声を轟かす（11月3日、国会前）

労働者・市民の先頭で鹿大生が奮闘（10月17日、JR鹿児島中央駅東口広場）

新世紀

第310号（2021年1月）

The Communist

帝国主義打倒！
　スターリン主義打倒！
　　万国の労働者団結せよ！

2021年1月　№.310　目次

新世紀

日本革命的共産主義者同盟 革命的マルクス主義派 機関誌

菅政権の先制攻撃体制構築と憲法改悪を打ち砕け

中央学生組織委員会

菅新政権がうちおろしているウルトラ反動諸攻撃を打ち砕くために、全国の大学キャンパスから闘いに決起している全学連のたたかう学生諸君！　労働戦線でたたかう労働者のみなさん！

わが同盟に指導された全学連の学生たちは、発足した菅新政権にたいする9・19首相官邸前闘争を、北は北海道から南は沖縄まで全国結集でたたかいぬいた。同日開催された国会前での「総がかり行動」を戦闘的にぬりかえるために奮闘した戦闘的・革命的労働者とかたく連帯して、たたかう学生たちは、菅日本型ネオ・ファシズム政権にたいする闘いの巨弾をぶち込んだのだ。

たたかう労働者と連帯して、全学連の学生たちがたたかいぬいた〈9・19闘争〉を号砲として、ファシズム的な強権をうち振るう菅政権にたいする労働者・学生・人民の怒りが全国から噴きあがっている。

安倍・菅両政権の戦争政策に異を唱える日本学術会議の新会員六名の任命を拒否するという挙にでた首相・菅義偉にたいして、全国の大学キャンパスでは、教職員組合に結集する大学教員・職員、院生、学生たちが続々と怒りの声をあげている。その先頭にたっているのが全学連の深紅の旗のもとに結集する学生自治会、文化団体連合会をはじめとする自治・サークル諸団体のたたかう学生たちなのだ（二〇二〇年十月六日には、早稲田大学・国学院大学を先頭とする首都圏のたたかう学生たちが「総がかり行動」に起ちあがった）。

わが中央学生組織委員会は、全学連の学生諸君とたたかう労働者のみなさんによびかける！　日本型ネオ・ファシズム支配体制を強化しながら、菅政権がうちおろす憲法改悪、敵基地先制攻撃体制の構築、辺野古新基地建設をはじめとする日米新軍事同盟を飛躍的に強化する攻撃を木っ端微塵に打ち砕くために闘いに起ちあがれ！　日本共産党翼下の〈反安保〉も〈反ファシズム〉も完全に放棄した反対運動をのりこえ、反改憲・反戦反基地闘争の巨大なうねりを「日米新軍事同盟の強化反対」「日本型ネオ・ファシズム支配体制の強化反対」の旗のもとに全国から大きくつくりだそうではないか。労働戦線で「連合」労働貴族や「全労連」指導部の闘争抑圧に抗して不屈にたたかう労働者とかたく連帯して、全学連の学生は、首相官邸・国会・アメリカ大使館にたいする10・25労学統一行動にキャンパスから総決起せよ！　極反動の菅日本型ネオ・ファシズム政権の打倒をめざして、すべての学生・労働者は、いざ進撃しようではないか！

1　〈米中冷戦〉下で高まる戦争勃発の危機

A　ウルトラ反動攻撃に突進する菅政権

首相・菅は、安保法制、秘密保護法、共謀罪などに反対してきた六名の学者・研究者を日本学術会議の新会員から排除するという挙にでた。ネオ・ファシスト菅を頭とするこの政権は、軍学共同での軍事研究・兵器開発に反対する学術会議から、戦争政策（軍需生産の拡大もふくむ）に異を唱える会員を強権をふるってパージし、もって学術会議を頂点とする学界にたいするファシズム的な統制を一挙に強化する策動にうってでたのだ〔菅は、これ以上抵抗するなら「行政改革」の対象とする（＝取りつぶす）と学術会議の事務局に突きつけている〕。

首相・菅は、官房長官時代から側近としてきた警備・公安警察出身の杉田和博（官房副長官）などに加えて、マスコミの内情に通じている元共同通信・論説副委員長の柿崎明二を首相補佐官として配した内閣官房・ＮＳＣ（国家安全保障会議）のもとで、学界のみならずマスコミをも政府の意のままに操ることのできる〝機関〟たらしめようとしている。まさにそれこそは、菅政権が日本型ネオ・ファシズム支配体制を政界・財界・官界および労働界に加えてマスコミ界・学界からなる〈鉄の六角錐〉を柱として一段と強化しつつあることを如実に示すものにほかならない。

生粋の国家主義者でありマキャベリストである首相・菅は、安倍晋三の不様な政権投げだしによってタナボタ式に手にした首相の地位をうちかためるために、おのれの〝実績〟づくりに躍起となっている。「国家の土台となるのは徳ではなく、よい法律とよい武力である」とか「加害行為は一気にやってしまわなければならない」（『君主論』）などというマキャベリズムを地でゆくかたちで、日本国家を「アメリカとともに戦争を遂行する国家」たらしめるために、警察などの国家暴力装置をも総動員するかたちで強権をうち振るっているのだ。省庁をはじめとする行政諸機構はもちろんのこと、マスコミ、学界、労働界などをもおのれの戦争政策（および経済政策・棄民政策）を翼賛する機関としてうちかためることを狙って、「国策」に異を唱えるものはどんな手段を駆使しても潰し一掃することに狂奔しているのが、チビ・ヒトラーというべき菅なのである。いままさにこの菅を頭目とする政権は、沖縄・辺野古の反基地運動をはじめとする一切の反対運動、労働組合運動、学生自治会運動を根絶やしにすることを狙った攻撃に血道をあげはじめているのだ。

　こうして日本型ネオ・ファシズム支配体制をよりいっそう強化しつつある菅政権は、東アジアを焦点とした米中激突のなかで、アメリカに日米新軍事同盟でしばりつけられた「属国」として、対中国・対北朝鮮の先制攻撃体制の構築に、さらには第九条の改悪と「緊急事態条項の創設」を柱とする憲法大改悪に狂奔している。

「敵基地攻撃能力の保有」の名において菅政権が構築しようとしている軍事体制は、アメリカのトランプ政権が急ピッチで構築しつつある「極超音速・弾道追跡宇宙センサー（HBTSS）」という小型衛星群を活用して、「敵」を「丸裸」にし、この攻撃目標にたいして米軍と一体となって日本国軍が先制攻撃を加えるという日米共同の軍事作戦構想にもとづくものである。まさにそれは、米日の統合軍が、北朝鮮や中国の防空レーダーを攻撃・破壊したうえで、相手国領域内に侵入して、軍事基地のみならずミサイル発射拠点となりうるエリアを攻撃対象として先制的に攻撃することができるような日米共同の軍事システムの構築にほかならない。

　菅政権・自民党は「年末までに」と期限を区切るかたちで、こうした「敵基地攻撃能力の保有」と新たなミサイル防衛システムの構築という新たな軍事政策の策定をおしすすめるとともに、「交戦権の否認」「戦争放棄」をうたった憲法の第九条を破棄する憲法大改悪にむけて「改憲四項目」にもとづく自民党の改憲条文案の策定を一挙的になしとげようとしている（政府・自民党は、この条文案を改憲原案と

〈目　次〉

して年明けの通常国会に提出することをめざしている)。そして、改憲への道を現実的にひらくために、臨時国会で、憲法審査会を――日本維新の会や国民民主党などの賛成をとりつけながら――強行的に開催し、改憲の手続きを定めた国民投票法のさらなる改悪をなしとげようとしているのが、菅政権にほかならない。

そしてまた、この政権は、トランプのアメリカの要求に全面的にこたえるかたちで、対中国(対北朝鮮)の最前線拠点である沖縄をはじめとした在日米軍基地への中距離ミサイルの配備や辺野古への新基地建設に全面的に加担している。まさにそれは中国の軍事的攻勢にさらされている軍国主義帝国アメリカとともに日本帝国主義が心中する道いがいのなにものでもないのである。

菅政権は、「自分の国は自分で守れ。そのための兵器はアメリカから買え。駐留経費負担を増やせ」とゴリ押ししているアメリカ大統領トランプが「再選」することにもそなえて、日本国軍が他国を攻撃する軍事システムや海上に配備することにした「イージス・アショア」の購入など、アメリカ製兵器をこれまでにも増して爆買いすることをトランプ政権に誓約している(政府・自民党が検討している海上配備方式は、地上配備よりも巨額の購入費用が必要となる)。

こうした巨額の軍事費を確保するために、菅政府・防衛省は、じつに五兆五〇〇〇億円という史上最高額の軍事費を来年度予算に盛りこもうとしている。しかも、「米軍再編経費」や「ミサイル防衛システム費用」などはこれとは別枠とされているのである。(アメリカと共同での月面探査計画「アルテミス計画」にかんしても「コロナ対策」などという名目がつけられて、概算要求総額一〇五兆円とは別枠で八一〇億円が計上されている。)

それればかりではない。パンデミック恐慌のもとで独占資本家どもの大量首切り・雇い止め・賃金切り下げの攻撃によって数多の労働者・人民が困窮に突き落とされているこのときに、菅政権は、「まずは自分でやる」「自助」などとほざきながら、「雇用調整助成金」の特例措置の打ち切りをはじめとする棄民政策を次々とうちだしている。まさにそれこそは、新型コロナの感染拡大のなかで、資本家どもによって路頭に投げだされた労働者・人民にたいして冷酷無比に「野垂れ死ね」と宣告するものでなくしてなんであるか。

あまつさえ、菅政権は、コロナ・パンデミックをば、デジタル技術革新と日本経済の産業構造（各企業の事業構造）の転換とを一気になしとげてゆくための絶好の契機たらしめようとしている。菅が「生産性の低い中小企業は淘汰されてゆけばよい」などと公言していることは、こうした企みの現れなのだ。

菅政権が〝目玉政策〟とおしだしている「デジタル庁の新設」なるものは、独占ブルジョアジーの利害を体現して「経済のデジタル化」を促進するとともに、国家権力によるデジタル技術を駆使しての人民総監視と総管理の体制を飛躍的に強化するためのものにほかならない。菅政権は、「マイナンバー」と預金口座を紐づけにし、それを年金・医療などの社会保障給付などの削減に活用することをたくらんでいるのだ。

コロナ・パンデミックのもとで、中国・ロシアはいうまでもなく、米・欧の諸国もまた、おしなべて「コロナ対策」をおしだしながらＩＣＴ（情報通信技術）をフル活用しての強権的支配体制をうちかためている。このような世界各国の権力者どもに垂涎している菅の政権は、「ウィズ・コロナ」の名において労働者・人民から一切の民主主義的な権利を最後的に奪いさり、強権的＝軍事的支配体制を飛躍的に強化することに血眼となっているのである。

いままさに菅政権が敵基地攻撃体制の構築や憲法改悪、そして軍事強国を支える日本型ネオ・ファシズム支配体制の強化などのウルトラ反動諸攻撃を一挙的にふりおろしているのは、＜米中冷戦＞という世界史的激動のもとで日本をアメリカとともに戦争をする帝国主義国家として名実ともに飛躍させることに躍起となっているからにほかならない。

B　東アジアを焦点とした米中激突

こんごの世界の帰趨を決するアメリカ大統領選挙

まで三週間を切った世界は激動のまっただなかにある。

アメリカでは、大統領トランプその人が新型コロナに感染(十月一日に発表)し、このトランプからも政府閣僚や側近たちへと感染が拡大していったことによって、ホワイトハウスはクラスター・ハウス(感染者三十四名)と化し、その機能は一時的マヒにたたきこまれた(トランプからペンタゴンの軍最高幹部たちや、バッグに入った「核ミサイル・ボタン」をもって大統領に常時随行する軍人にも感染が拡大していった)。「最高権力者」を選びだす大統領選挙投開票日(十一月三日)を目前にしたアメリカがさらけだしているこの不様な姿こそは、かつては世界に君臨した軍国主義帝国アメリカの最末期を象徴するいがいのなにものでもない。

まさしくそれゆえに「全米支持率」のうえでは民主党の大統領候補バイデンに劣勢にたたされているトランプは、みずからの支持基盤をうちかため起死回生の勝利をもぎとるために、みずからを「中国ウイルスと戦う大統領」「法と秩序を守る大統領」としておしだしながら、国内的には、警察部隊を「人種差別反対」のデモを弾圧する態勢につかせ、黒人にたいする武装襲撃の訓練をくりかえしている白人至上主義者たちを「スタンバイ」につかせている。そして対外的には、「ウイルスをアメリカにまき散らした中国に責任をとらせる」とか「世界最大のテロ支援国家イランに制裁を科す」とかと非難のオクターブをあげながら、最後の一手=「オクトーバー・サプライズ」にでる機会さえもうかがっているのだ。

他方、こうしたトランプの新型コロナ感染の約一ヵ月も前に「新型コロナとの闘いに中国の特色ある社会主義は勝利した」「社会主義の優位性が示された」と豪語したのが、ネオ・スターリン主義中国の国家主席・習近平であった。習近平を頭目とする北京官僚政府は、「中華民族復興」にむけた〝祝祭〟として挙行した「国慶節」にあわせて、北京政府の強権的支配に反対する香港人民を根こそぎ圧殺するための弾圧に狂奔するとともに、内モンゴル自治区においても――新疆ウイグル自治区やチベット自治

首相官邸に向け進撃する白ヘル部隊（2020年10月25日）

区でおこなってきたそれと同様の——モンゴル族人民の母語を奪いさり民族の歴史を抹消する「愛国心教育」という名の漢民族への同化政策を暴力的におしすすめたのであった。

まさに、新型コロナ感染爆発と経済的破局にたたきこまれたなかで、おのれの劣勢を挽回するために「中国ウイルスに勝利する」とＵＳＡナショナリズムに訴えて大統領選に勝利しようとしているトランプのアメリカ帝国主義と、このアメリカの惨状を「社会主義現代化強国」として世界に屹立する絶好の機会ととらえ——人民への貧窮強制と圧政をほしいままにしながら——政治的・軍事的攻勢にうってでたネオ・スターリン主義中国とが世界的に対峙している。この両者の戦火がいつ噴きあがるかもしれぬ〈米中冷戦〉構造を如実にあらわにしているのが二十一世紀現代世界の今なのだ。

コロナ・パンデミックに乗じて「世界の中華」として世界にそびえ立つことをめざした全面的攻勢に一挙的にふみだした中国と、この中国にたいして守勢にたちながらも日本、オーストラリアなどの同盟国をまきこみながら反撃にうってでたアメリカとは、東アジアを舞台にして、政治的・軍事的に激突している。まさにその焦点となっているのが、台湾であり、南シナ海である。

台湾をめぐっては、「一国二制度による中台統一」を拒絶する蔡英文政権およびその後ろ盾となって台湾を政治的・軍事的および経済的に支えているアメリカのトランプ政権にたいして、習近平政権は「軍事演習」と称した軍事的な行動をくりかえし強行することによって対抗している。「李登輝弔問外交」というかたちでの米国務次官の台湾公式訪問など台湾への政治的支援を強めているアメリカ権力者にたいして、中国権力者は、たとえ台湾問題をめぐって米軍が軍事介入を企てたとしても・それを打ち砕きうる軍事態勢をとっていることを誇示することを狙って、東・南シナ海・渤海・黄海を舞台とした軍事演習を――まさに台湾を包囲するように――二ヵ月以上にわたって連続的に強行しているのだ〔米日両軍が共同演習をおこなった一週間後に、訓練海域であった南シナ海に「グアムキラー」「空母キラー」など四発の中距離弾道ミサイルを撃ちこんだ(八月二十六日)〕。

こうした軍事的攻勢を強める中国にたいしてトランプ政権は、蔡英文政権にたいする対艦巡航ミサイルや無人攻撃機などの最新鋭兵器の売却の準備をおしすすめるとともに、東シナ海・南シナ海での米軍の軍事演習を――核兵器搭載可能な戦略爆撃機B1やステルス爆撃機B2などを動員しつつ――日本国軍をも動員するかたちで大規模に強行している〔八月中旬に、ハワイ沖で米・日・豪を中心とした環太平洋合同演習(リムパック)、東シナ海、日本海、沖縄周辺海域で米日共同軍事演習などの大演習を連続的に強行〕。こうして台湾や南シナ海において中国と米・日両国が対抗的に軍事演習を強行しているのであって、いまや米・日―中の直接的な軍事衝突の危機さえもが日々醸成されているのだ。これらの米と中(露)は、極超音速兵器や中距離弾道ミサイルなどの運搬手段の開発とともに核兵器の小型化や多弾頭化などをはじめとした核戦力増強競争にしのぎを削っている。まさにそれは熱核戦争の勃発の危機を高めるものにほかならない。

こうして東アジアにおける軍事的な角逐を激化させている両者は、「一帯一路」経済圏にくみこんできたアジア・中東・アフリカ・欧州の諸国との政治的・経済的関係を――「マスク外交」や「ワクチン外交」をもテコにして――ますます強化している習近平の中国と、「自由でひらかれたインド太平洋」構想にもとづいて米・日・豪・印の政治的・経済的および軍事的な協力関係を強化しようとしているトランプのアメリカとの対立という構図で、その世界的な規模での角逐をいよいよ激化させている。

まさに現代世界は、政治・軍事・経済のあらゆる部面において米・中が全面的に対決するという＜米中冷戦＞へと急旋回した。この＜米中冷戦＞のもとで世界的な大戦勃発の危機が高まっているのだ。

C　「野党共闘」尻押しの日共系反対運動とわが革命的左翼の闘い

先制攻撃体制の構築や憲法改悪などの極反動諸攻撃をふりおろす菅政権にたいして、わが全学連のたたかう学生たちは9・19対首相官邸闘争を権力の弾圧をうち破ってたたかいぬいた。たたかう労働者と連帯して闘いにうってでた全学連の学生を先頭にして、いま、多くの労働者・学生・人民が、菅政権による日本学術会議会員六名の任命拒否問題、敵基地攻撃体制の構築、憲法大改悪、辺野古新基地建設などへの怒りに燃えて、全国から陸続と闘いに起ちあがりつつある。

日共の不破＝志位指導部は、次の総選挙で「野党連合政権の樹立に正面から挑戦する」などと呼号し、菅政権の反動諸政策に反対するいっさいの大衆的闘いを、立憲民主党などとの「野党共闘」を尻押しするものへとおし歪めている。彼ら代々木官僚どもは、「全労連」の労組員たちに「野党共闘を支える敷き布団中の敷き布団たれ」などという言辞を弄しながら、他の野党とは合意できないとみなした「反安保」も「反ファシズム」もいっさい掲げさせないという犯罪的な対応をとりつづけているのだ。

こうした「政権ありつき病」に脳天からつま先まで冒された日共中央指導部による市民主義的・選挙第一主義的な闘争歪曲をのりこえるかたちで、全学連のたたかう学生たちは、職場で奮闘している戦闘的・革命的労働者たちと連帯しつつ、反戦反安保・

反改憲の闘いやネオ・ファシズム反動化阻止の闘いを全国各大学から巻きおこしているのだ。

2　菅政権の極反動攻撃を打ち砕く闘いを巻きおこせ

A　「反安保」を放棄した日共中央の闘争歪曲を弾劾せよ

菅政権が敵基地攻撃の軍事体制構築と憲法改悪という反動攻撃に狂奔し、またNSC専制の強権的支配体制をいっそう強化しているこのときに、日共・不破＝志位指導部は度しがたいまでの腐敗をさらけだしている。

（1）代々木官僚は十月六日の幹部会において、「党の歴史でもかつてない挑戦にうってでる」と称して「次の総選挙で政権交代を実現し、野党連合政権を樹立する」ことを「目標」としてうちだした。政権入りの願望をパラノイア的につのらせた彼らは、一切の大衆運動を「政権交代と連合政権を求める世論と運動づくり」なるものに収れんさせているのだ。しかも、日共をふくめた連合政権をつくることの合意を立憲民主党から引きだすために、基本政策上の「一致点を探る」と称して、「健全な日米同盟を軸」にするという立民の安保・軍事政策を「連合政権」がとる政策として丸呑みしようとしているのが代々木官僚なのである。これこそ、反戦・反基地・反安保を意志する労働者・学生・人民への敵対いがいのなにものでもない。

この犯罪性を大衆運動の場面で公然と露出させたのが、日共委員長・志位和夫の国会前行動での発言（九月十九日）であった。志位は、「首相指名選挙」（九月十六日）で自党議員全員を枝野幸男に投票させたことにふれつつほざいた――「登山で言えばアプローチは終わり、いよいよアタックだ」「政権交代が見えてきた」と。

あえて登山のたとえを用いたこの発言こそは、かねてより日米安保・自衛隊問題にかんする「不一致点」について「もうひと山越える」べきことを迫ってきていた立憲民主党国対委員長・安住淳(『前衛』九月号の鼎談)にたいする、志位の〝返答〟にほかならない。すでに日共中央がうちだしてきた、「日本有事」の際の安保条約第五条の「活用」とか、自衛隊の「活用」とかをさらに超えて、「健全な日米同盟を軸」とするという立民の安保政策をば「野党連合政権」がとるべき政策として全面的に受け入れる――志位の「アタック」発言こそはその意志表示なのだ。

なんたる犯罪か！　菅政権が「敵基地攻撃能力の獲得」の名において、アメリカと一体となって朝鮮半島および中国に先制攻撃をかける戦争への道をひらこうとしているいまこのときに、「野党連合政権」の末席に加えてもらいたい一心から、「連合政権」のとるべき政策として、安保条約とそれにもとづく軍事同盟の存在を完全に是認するばかりか、「日本有事」の際には「安保法制以前の条約や法制で対応する」こと(「安保条約第五条」や「周辺事態法」にもとづく米日両軍の軍事行動だ！)を積極的に認めますと立民に誓いをたてているのが代々木官僚なのだ。一切の大衆運動を「野党共闘」を下支えするものに歪曲してきたのが彼らなのであって、反戦平和の闘いに起ちあがった下部党員や「全労連」労組員にたいして、〝「日本有事には」安保条約第五条で対応」することをその基本政策に掲げた「連合政権」の樹立のために奔走せよ〟と官僚的に号令しているのだ。まさにそれは良心的な党員・労組員らにたいする公然たる裏切りであり、党官僚みずからが日共系平和運動に最期的な瓦解をもたらすものではないか！

われわれはいまこそ、心ある日共下部党員や「全労連」労組員に、腐敗を極める党中央を徹底的に弾劾し、そして彼らから訣別して、われわれとともに反戦反安保・反改憲の闘いに起つべきことをよびかけるのでなければならない。

(2)　こんにち代々木官僚は、菅政権の「敵基地攻撃能力保有」の策動にたいして、①「日本にたいする攻撃はないのに、米軍と自衛隊が、相手国の領域まで乗り込んでいって、いっしょになって攻撃する」、②「日本を守るどころか……日本に戦火を呼びこむことになる」、③「この点でも、安保法制を続けさせるわけにはいかない。立憲主義を回復する」などと主張している（委員長・志位の9・19「国会正門前行動」での発言など）。

こうした〝「安保法制」とセットでの「敵基地攻撃」に反対する〟という代々木官僚の「反対」方針なるものは、㋑「日本にたいする攻撃はない」（＝「日本有事」ではない）のに、㋺「相手国の領域まで踏み込んで攻撃」（＝「海外での武力行使」）することになるので反対するという〝枠組み〟で提起されている。ここで代々木官僚の提起している方針の力点は明らかに「安保法制の廃止」「集団的自衛権の行使反対」にこそある。

いいかえれば、代々木官僚は菅政権の軍事政策にたいして、㋑「日本有事」であれば、㋺「安保法制以前」に存在する「安保条約第五条」や「周辺事態法」にもとづいて「対応」する（自衛隊にとどまらず在日米軍にも出動を要請するということ）という「野党連合政権」がとるべき安保・軍事政策（代案）を基準にして・その偏差で「自衛の枠」をはみだしていると非難を加えているにすぎないということなのだ。

だがしかし、〝中国・北朝鮮という外敵からのミサイルの脅威〟を排外主義的にあおりたて、まさにこうした諸国の基地を先制的にたたくことをも「日本防衛のため」と強弁しながら先制攻撃体制の構築につきすすんでいるのが菅政権である。この菅政権にたいして、「日本国家の安全保障」という彼ら政府・権力者とまったく同一の土俵にたって、だからして当然にも「国防イデオロギー」を鼓吹しながら菅政権がうちおろす攻撃のブルジョア階級性を完膚無きまでに暴きだすことを完全に欠如したうえで、いくら「自衛の枠内にとどめるべきだ」とその是正をもとめたとしても、政府・権力者の攻撃になんら太刀打ちできないばかりか、むしろみずから愛国ナショナリズムへの唱和をかってでることにしかならないことは火を見るよりも明らかではないか。

まさしく菅政権の超弩級の攻撃を打ち砕くためには、米・日両帝国主義権力者の戦争政策に断固として反対する「反戦」の闘いを、そして帝国主義同盟たる日米新軍事同盟の強化にも断固反対する「反安保」の闘いをこそ燃えあがらせなければならないのだ。そしてまた、北朝鮮や中国による核武装や中距離ミサイルの配備にも反対する反戦闘争を創造するのでなければならないのだ。こうした日本、北朝鮮、中国の労働者・勤労人民の国境を越えたプロレタリア的団結の創造にもとづく革命的な反戦闘争の創造こそが、戦争勃発の危機を突き破るただ一つの道なのである。

いまこそ、われわれは、腐敗を極める日共中央翼下の「反安保」なき反対運動をのりこえ、敵基地先制攻撃の軍事体制構築阻止の闘いを、まさしく日米新軍事同盟強化反対を掲げた反戦反安保闘争として推進するのでなければならない。

B　反戦反安保・反改憲の闘いの爆発をかちとれ

すべての全学連のたたかう学生諸君！　労働戦線でたたかう労働者のみなさん！　わが同盟・中央学生組織委員会は断固としてよびかける。

労働者・人民の頭上にウルトラ反動攻撃を矢継ぎ早にうちおろす菅政権にたいして、わが革命的左翼は仁王立ちになって、この攻撃を断固として打ち砕くのでなければならない。学園から・職場から、反戦反安保・改憲阻止の、またネオ・ファシズム反動化阻止のうねりを巻きおこせ！　全国結集でたたかわれた全学連の9・19官邸前闘争につづけ！

習近平中国とトランプのアメリカとが全面的に激突し・いつ戦火を交えるともしれない現代世界。そのまっただなかで日本帝国主義の菅政権は、軍国主義帝国アメリカのトランプ政権とともに「敵」と烙印した北朝鮮や中国に先制軍事攻撃をしかけうる体制の構築に猛突進している。この一大反動攻撃を粉砕せよ！　「戦争放棄・戦力不保持」をうたう憲法第九条破棄の攻撃を絶対に阻止せよ！

菅政権は、戦争をやれる軍事強国にふさわしい国家総動員体制を構築するために、かの学術会議会員の任命拒否に示されるように、研究・言論へのファシズム的統制を一挙に強化しはじめた。これこそは、

NSC専制の強権的＝軍事的支配体制のいっそうの強化を狙う反動攻撃にほかならない。この攻撃を断固として打ち砕け！

全学連の学生は、菅日本型ネオ・ファシズム政権打倒をめざして、いまこそ、労働戦線の深部でたたかう労働者と連帯して、全国の大学キャンパスから総決起せよ！

（1）われわれは、「反安保」を完全放棄した日共翼下の反対運動をのりこえ、「敵基地先制攻撃の軍事体制構築阻止」を焦眉の課題とする反戦反安保闘争の大爆発をかちとろうではないか。

菅政権による敵基地先制攻撃の体制構築への突進、これこそは、日本国軍が米軍と文字通り一体となって中国・北朝鮮領内に先制的に攻撃を加え、ミサイル基地もろともに労働者・人民を火の海にたたきこむという戦争放火への道をひらく一大攻撃にほかならない。菅政権がトランプ政権とともにかかる軍事体制の構築に突進するならば、中国・北朝鮮の権力者もまた「やられる前にたたけ」とばかりに在日米軍基地や自衛隊基地を射程に入れた軍事攻撃の体制を対抗的に強化するにちがいない。まさに米日両権力者の策動こそは、日本列島を中心とした東アジアを戦場とする新たな核戦争勃発の危機をいやましに高めるいがいのなにものでもないのだ。

われわれは、菅政権がトランプ政権とのあいだでおしすすめている敵基地攻撃の軍事体制構築の策動が、〈米中冷戦〉へと旋回をとげた現代世界における・日米新軍事同盟の新たな強化にほかならないことを明らかにし、〈対中国攻守同盟＝日米新軍事同盟の飛躍的強化反対〉の旗幟も鮮明にたたかうのでなければならない。そして同時に、ネオ・スターリン主義中国の習近平政権による対米対抗的な核戦力の強化や南シナ海の軍事拠点化という反プロレタリア的策動にたいしても、断固として反対しようではないか！

かつて日本軍国主義はアジア全域を軍靴でふみにじり焼き尽くし、二〇〇〇万人民を血の海に沈めた。その日本軍国主義の末裔たる政府権力者が、今度はアメリカ権力者とともに、朝鮮半島に、中国に戦争の火を再び放つなどということを、日本のプロレタリアート・学生は断じて許すわけにいかない。労働者・学生は、この菅政権の反動攻撃を、日本列島を揺るがす反戦反安保の闘いの大爆発をもって木っ端微塵に粉砕するのでなければならない。いま、ただちに総決起せよ！　安保法制＝侵略戦争法の撤廃をかちとれ！

アメリカ・トランプ政権による中距離ミサイルの日本配備を阻止せよ！「唯一の被爆国・日本」においてたたかうわれわれは、トランプ政権による核兵器の日本配備に断固として反対するのでなければならない。

さらにわれわれは、日米両権力者が強行している対中国の合同軍事演習に反対するのでなければならない。南シナ海への日本国軍の本格的出動に反対せよ！

辺野古新基地建設を絶対に阻止せよ！　これこそ、〈米中冷戦〉のまっただなかで、台湾海峡にもほど近い沖縄をば対中国の最前線基地としてうちかためんとする一大攻撃にほかならない。沖縄県学連の学生たちは、戦闘的・革命的労働者と連帯しつつ、新基地建設を実力で阻止すべく先頭で体を張ってたたかっている。この闘いと連帯し、日本全土において新基地建設阻止のうねりを巻きおこせ！　もっぱら「基地被害」の問題や「民主主義破壊」の問題を強調するにすぎない日共翼下の反基地運動をのりこえ、われわれは新基地建設阻止の闘いをまさに反戦反安保闘争として爆発させるのでなければならない。

「敵基地攻撃」のためのステルス戦闘機やイージス・アショアに代わる洋上発射型ミサイル防衛システムをはじめとする、米国製兵器のさらなる大量購入につきすすむ菅政権を許すな！　米軍駐留経費の大増額に反対せよ！

「日米安保の鎖」を断ち切らないかぎり、日本国家は軍国主義帝国アメリカに政治的・軍事的に隷属せざるをえないのだ。われわれはいまこそ、〈すべての米軍基地撤去・安保条約破棄〉をめざしてたたかおうではないか！

（2）われわれはまた、第九条の改悪と緊急事態条項の創設とを柱とする憲法大改悪の策動を断固として阻止するのでなければならない。

菅は、改憲案をめぐる国会審議を急ぐために、真正ファシスト集団である日本維新の会との連携を強めるとともに、年内に独自の改憲案を提示しようとしている玉木雄一郎の国民民主党をとりこむことをも狙っている。臨時国会における憲法審査会の再開を阻止せよ！　改憲条文案の国会提示阻止！　改憲手続き法たる国民投票法の改定を阻止せよ！　すべての労働者・学生は、国会を幾重にも包囲する改憲阻止の大闘争をいまこそ巻きおこせ！

菅政権は、「敵基地攻撃能力の保有」の名において、「敵性国家」にたいしていつでも先制軍事攻撃を――アメリカと一体となって――遂行しうる軍事強国へと日本国家を飛躍させるために、「戦力不保持」「交戦権否認」をうたった憲法第九条を葬りさろうとしている。このゆえに、改憲阻止の闘いをわれわれは〈日米新軍事同盟の強化反対〉〈日本の軍事強国化阻止〉を鮮明にしておしすすめるのでなければならない。

しかも菅政権は、こうした侵略戦争に労働者・人民を根こそぎ動員してゆくために、「緊急事態」にさいしては首相・内閣が国会審議を経ることなく「政令」を発することができるとする緊急事態条項を――コロナ蔓延を利用して、「緊急事態」のなかに「感染症」を含めるという策をも弄しながら――新設しようとしている。この緊急事態条項新設を憲法第九条改悪とセットでたくらむ菅政権の策動は、まさに日本型ネオ・ファシズム憲法の制定というべきものなのだ。それゆえに、この改憲攻撃を打ち砕くためには〈反ファシズム〉の旗がいっそう高く掲げられなければならないのだ。

（3）われわれはさらに、菅政権がうちおろすNSC専制の強権的＝軍事的支配体制強化の攻撃を、断固として打ち砕くのでなければならない。ネオ・ファシズム反動攻撃を粉砕せよ！

首相・菅による日本学術会議会員の任命拒否を許すな！　学界へのファシズム的統制強化反対！　まさにいま、わが同盟が菅政権の成立と同時に喝破したように、この政権はそのネオ・ファシズム的な反動性をむきだしにしている。日本型ネオ・ファシズム支配体制の柱をなす、政・官・財・労・学・マスコミの〈鉄の六角錐〉がますます強固にうちかためられようとしているのだ。

日共官僚は、――われわれの批判を意識して――菅政権について「より強権的で、ファッショ的な政権となる危険を示す」（十月六日、幹部会第一決議）とつぶやきはじめたのであるが、その内実は「立憲主義」を基準として菅政権の「憲法違反」を問題にするというものでしかない。「日本型ファシズムの危険」という把捉さえとうに投げ捨てて久しい彼らは、菅政権がまさに学界の統制をもつうじて日本型ネオ・ファシズム支配体制の一挙的強化にのりだしていることをまったく洞察しえない。それゆえに、労働者・人民に「反ファシズム」の闘いへの決起をよびかけることもまったく放棄しさっているのだ。この日共官僚を弾劾せよ！　いまこそ、〈鉄の六角錐〉を打ち砕く〈反ファシズム〉の労働者・学生の団結を強固に・広範に創造するために、奮闘しようではないか！

「デジタル庁」の創設反対！　〈戦争をやれる国〉にふさわしく国家総動員体制をつくりあげるために、日本の労働者・人民を総管理・総監視下におくこの策動に、断固として反対せよ！

〈米中冷戦〉下の戦乱勃発の危機を突き破れ

中国の習近平政権は九月末、南シナ海（西沙諸島海域）、東シナ海、渤海、黄海において同時的に一大軍事演習を強行した。この習近平政権と、蔡英文の台湾への支援を継続しているトランプ政権との軍事的・政治的角逐がいやましに激化している。

東アジアにおいて米・中の戦争の火が燃えあがるならば、それは世界的な核戦争へとただちに発展しかねないのだ。全世界人民はさしせまる危機をいまこそ直覚し、反戦の闘いに起て！　「〈米中冷戦〉下の戦争的危機を突き破る革命的反戦闘争を創造せよ！」「米―中・露の核戦力強化競争反対！」――これらの革命的スローガンのもとに、すべての学生・労働者は総決起せよ！

われわれは、米―中の相互対抗的な軍事演習の応酬に断固として反対するのでなければならない。在日米軍基地からの米軍部隊の出撃を許すな！　トランプ政権につきしたがって菅政権が南シナ海に日本国軍をおくりこむことを許すな！　中国・習近平政権による対米対抗の軍事演習に反対せよ！

米―中・露の核戦力強化競争反対！　トランプ政権による「使える核兵器」、中距離核ミサイルの開発、宇宙軍拡に反対せよ！　日米核軍事同盟の強化反対！

習近平政権とロシアのプーチン政権とが、相互に結託を深めつつ、極超音速兵器の開発・配備をはじめとした核戦力の強化につきすすんでいることを弾劾せよ！

さらに、コロナ・パンデミックを目の当たりにした米と中・露の権力者どもがますます拍車をかけている、生物・化学（BC）兵器開発競争にも断固反対しようではないか。

われわれは〈米中冷戦〉下で高まる戦争勃発の危機を突破するために、アメリカ、中国、ロシア、そして全世界の人民と国境を越えたプロレタリア的な団結を創造しつつ、革命的反戦闘争をたたかうのでなければならない。いざ、闘いに起ちあがれ！

〈パンデミック恐慌〉下の犠牲強制を打ち砕け

われわれは、菅政権による〈パンデミック恐慌〉下での労働者・人民への犠牲強制を打ち砕く政治経済闘争を、断固として推進するのでなければならない。

「自助」をふりかざす菅政権による貧窮人民切り捨てを打ち砕け！　資本家どもの解雇・賃下げ攻撃によって、おびただしい労働者・人民が困窮のどん底に突き落とされ、路頭に放りだされているこのときに菅は、雇用調整助成金の特例措置を年末限りで打ち切ると宣言した。まさに棄民！　菅政権を断じて許すな！

独占資本の意を体した「経済のデジタル化」の諸施策に反対せよ！

消費税大増税阻止！　生活保護・年金・医療などの社会保障費の一大削減反対！　菅政権は、労働者・人民からむしりとった血税を、トランプが要求する米国製兵器大量購入や米軍駐留経費のために惜しげもなく投入しようとしている。まさにこの政権がたくらむ大増税と社会保障切り捨ては、アメリカとともに戦争をやれる軍事強国にふさわしい財政基盤の確立のための攻撃という意味をもつのであって、このことをわれわれは満天下に暴きだすのでなければならない。

全学連のたたかう学生たちはこのかん、大学当局に学費減免・無償化を要求する闘いや自治・サークル活動規制反対の闘いを多くの自治会員・サークル員を組織しながら大きく創造し、そしてそれをつうじて学生自治組織の団結を強化してきた。いま、国・公・私立の各大学においては、後期の学費納入期限に迫られて、多くの学生たちが「退学するか・それとも借金をさらに増やしてまで大学に残るか」と悩みぬくほどギリギリまで追いつめられている。たたかう学生は彼らをも組織しつつ、「菅政権による困窮学生の切り捨て弾劾！ 学費減免・無償化をかちとれ！」のスローガンのもとに、キャンパス内外で学生大衆運動をダイナミックに創造しようではないか！

菅日本型ネオ・ファシズム政権の打倒めざして闘おう

わが同盟は、すべての全学連のたたかう学生諸君と労働戦線でたたかう労働者のみなさんによびかける！ 菅政権によるウルトラ反動攻撃を打ち砕くために、職場・学園・地域から〈反戦・反ファシズム〉の一大闘争を創造せよ！ 敵基地先制攻撃体制の構築に断固反対せよ！ 憲法大改悪を絶対に阻止せよ！ 日米新軍事同盟の強化反対！ 日本型ネオ・ファシズム支配体制強化のための一切の策動を粉砕せよ！ 〈パンデミック恐慌〉下での政府・独占資本による労働者・人民への犠牲強制を許すな！ 菅政権による困窮人民の切り捨て反対！

いまこそ、たたかう労働者・学生は、菅日本型ネオ・ファシズム政権を打倒することをめざして総決起せよ！

「日本学術会議」会員の任命拒否を許すな 菅政権のファシズム的な言論封殺反対！

二〇二〇年十月六日　全日本学生自治会総連合

（1）

すべての労働者・学生・知識人・文化人のみなさん！

首相・菅義偉が、「日本学術会議」の新会員六名の任命を「拒否」するという挙にでた。安倍前政権の官房長官として菅みずからがおしすすめてきた安保法制という名の侵略戦争法、共謀罪法・秘密保護法、辺野古新基地建設の強行にたいして異を唱えてきた六名の学者・研究者たちを、菅は強権をふるってパージしたのだ。まさにこれは、「学問の自由」「言論・表現の自由」をも公然とふみにじるファシズム的な言論封殺以外のなにものでもない。断じて許すな！

全日本学生自治会総連合は、全国のすべての学生に訴える！　全学連の旗のもとにたたかう全国の学生自治会は、大学院生・教職員とともに、「『日本学術会議』会員の任命拒否を許すな！」の闘いの嵐を巻きおこせ！　すべての学生は、学生自治会や文化団体連合会のもとに団結し、また有志の反戦団体に結集し、菅政権にたいする闘いに起ちあがれ！　教職員組合をはじめとする労働組合においてたたかう労働者たちと連帯して、菅政権を包囲する巨大な闘争を燃えあがらせようではないか！

（2）

菅は、軍学共同の兵器開発などに反対する学術会議を統制するために、内閣官房・NSC（国家安全保障会議）に登用した警備・公安出身者（官房副長官・杉田和博など）を手兵として学術会議の全会員の研究・言論・思想を調べあげ、「反政府的」とみなした六名の学者を狙い撃ちにして追放した。まさに菅政権は、学術会議を国家的統制のもとに組みしくとともに、学問・研究に携わるすべての大学生・大学院生・教職員が政府の戦争政策に反対することを封殺しようとしているのだ。それは、国家に奉仕する〝戦争翼賛学界〟をつくりだす策動に、菅政権がのりだしたことを意味する。まさにそれは、菅政権が日本型ネオ・ファシズム支配体制を、政・財・官・労にくわえてマスコミ・学界からなる〈鉄の六角錐〉を柱として一段と強化していることを如実に示すものなのだ。

かの731部隊の細菌戦研究に多くの科学者が動員されたことをはじめとして、戦前の学界が軍国主義日本の侵略戦争に総動員された血塗られた歴史の再来を、絶対に許してはならない！　菅政権による学界へのファシズム的統制の一挙的強化を断固として打ち砕け！　軍学共同研究の推進反対！　今こそ、〈反ファシズム〉の闘いに起て！

菅政権はNSCを司令塔として学界への国家的統制の強化にのりだすとともに、マスコミへの報道統制に狂奔し、あらゆる言論・表現活動の圧殺をも狙っている。すべての学生は、学者・研究者、文化人・表現者など各界で声をあげる人びととともに、菅政権による言論統制・報道統制の強化に断固反対してたたかおう！　「デジタル庁」の新設をテコとした国民総監視体制の構築にも反対しよう！

（3）

すべての労働者・学生・知識人・文化人のみなさん！　今こそ、あらゆる戦線から、菅日本型ネオ・ファシズム政権にたいする断固たる闘争を巻きおこそうではありませんか！

　菅政権が研究・言論・表現活動への統制を一挙に開始したのは、アメリカとともに戦争をやれる軍事強国にふさわしい国家総動員体制の構築をたくらんでいるからなのだ。菅政権が「敵基地」（＝北朝鮮・中国）を先制攻撃できる日米共同の軍事体制を構築しようとしていることに断固として反対しよう！「戦争放棄・戦力不保持」をうたう憲法第九条の改悪を絶対に阻止しよう！　首相に「非常大権」を与える緊急事態条項の創設を許すな！

　菅が叫びたてる「自助」なるものは、ファシスト的な滅私奉公の精神そのものにほかならない。それは、コロナ・パンデミックのもとで独占資本家どもによる解雇・賃下げ攻撃によって貧窮に叩きこまれている労働者・人民に「国家に頼らず野垂れ死ね」と宣言するものではないか！　こうした政府の貧窮人民切り捨て策に異を唱える者を根絶やしにしようとしているのが菅なのだ。コロナ・パンデミックのもとで、アメリカをはじめとする諸国ではネオ・ファシズム的な強権支配が強化され、ネオ・スターリン主義中国でも人民総監視と強権的弾圧体制がいっそう強化されている。菅政権もまた、労働者・学生への圧政をほしいままにしている米欧や中国・ロシアの権力者を横目でみながら、強権的＝軍事的支配体制をよりいっそう強化する攻撃をうちおろしているのである。このファシストの攻撃を断固として打ち砕け！

　すべてのみなさん！　戦争と貧困と強権的支配に断固反対して、全国から総決起しよう！　労働者階級を中核とする〈反ファシズム統一戦線〉を築くために奮闘する労働者と連帯してたたかおう！　今こそ、〈反ファシズム〉の戦列を強固に・広範に創造し、菅政権にたいする断固たる闘争にうってでようではありませんか！

日本学術会議の〝戦争翼賛団体〟化攻撃を打ち砕け！

国策に同調しない学者を選別的に排除

二〇二〇年十一月四日の国会質疑において首相・菅は、学術会議会員の任命にさいして「官房長官のころからもっていた懸念」や「任命の考え方」を首相就任の直後に内閣府に伝え、そのうえで六人を除外した決裁文書の内容にかんする報告を官房副長官・杉田和博から受けたなどと答弁した。この言辞からしても、首相・菅が公安警察官僚出身の杉田に命じて学術会議会員に推薦された学者の経歴・人脈・思

日本学術会議新会員の選別的任命拒否にたいして澎湃（ほうはい）と巻きおこっている労働者・学生・学者・知識人の怒りの声にもかかわらず、あくまでも首相・菅義偉は、「出身や大学に偏りが見られる」だの「選出方法が閉鎖的で既得権のようになっている」だのという御託をならべたて、これを居直りつづけている。

すべての労働者・学生・知識人諸君！　まさにいま菅政権がしかけているネオ・ファシズム的反動総攻撃を断固として打ち砕くために全国・全戦線から闘いに起ちあがろうではないか！

想などをすべて調査したうえで、六人を見せしめ的にパージするという挙にうってでたことは明らかだ。

　これぞ、第二次世界大戦前・戦中において、〈軍国日本〉＝天皇制ボナパルチズム権力が特高警察を総動員して強行した労働者・人民・大学・研究機関・マスコミにたいする言論統制・思想弾圧と瓜二つではないか。菅いうところの「任命の考え方」なるものは、――安保法制という名の侵略戦争法や共謀罪法・特定秘密保護法、さらには辺野古新基地建設をはじめとする軍事基地強化など――国策に同調しない学者・研究者すべてを学術会議から選別的に排除せよ、ということにほかならない。

　ネオ・ファシスト菅を頭とするこの政権の学術会議会員の任命拒否を徹底的に弾劾せよ！「戦争を目的とする科学の研究は絶対に行わない」という創設理念を継承することを表明（二〇一七年）した日本学術会議から、国家の戦争政策に異を唱える会員をパージし、もって学術会議を頂点とする学界にたいするファシズム的な統制を一挙に強化する攻撃にうってでているのがこの政権だ。


　見よ！　菅の意を体した自民党議員どもが「学術会議は軍事目的の研究はおこなわないとしているが、防衛や安全保障でもっと時代にあった組織であるべき」（元防衛相・中谷元）だの「最先端技術は軍民のデュアルユース（両用）だという認識をもつべきだ」（元拉致問題担当相・山谷えり子）だのと噴きあげている。しかも、元経済財政相・甘利明をはじめとする自民党議員や極右分子が、「千人計画（世界の科学者を中国の研究機関に招聘（しょうへい）する計画）に学術会議が積極的に協力している」などというデマをインターネットにたれ流し、同会議に所属する学者・研究者に〝中国のスパイ〟などという烙印を押しているではないか。

　菅政権が一挙におしすすめている日本学術会議の解体的再編こそは、まさしく〝戦争翼賛学界〟を創出することをこそ核心としているのだ。

〈鉄の六角錐〉を柱とする日本型ネオ・ファシズム体制の強化

　菅政権がネオ・ファシズム的な統制を強化してい

るのは、学界だけではない。あらゆる国家行政機関をNSC(国家安全保障会議)・内閣官房のもとに組み敷き意のままに操るために、公安警察機構＝国家暴力装置と密接に通じている杉田を内閣人事局長にすえ、各省庁幹部官僚の身辺調査・更迭などをちらつかせるかたちで露骨な恫喝をくわえているのだ。

冷酷な視線で「人事こそ最大の武器」と語る菅。この男は、かつて総務相時代に、NHK改革に異論を唱えた官僚を「政策に反対したから」という理由をもって更迭したり、ふるさと納税制度に反対した総務省幹部を主要ポストから排除したりしてきたという〝経歴〟を国会において平然と披瀝してみせている。

「〔政治家は〕愛されるよりも恐れられていたほうがはるかに安全である」(『君主論』)というマキャベリの言を座右の銘としている首相・菅は、いまや政府・国家権力に異を唱えるものは国家暴力装置をも総動員して徹底的に壊滅し一掃しつくすことに狂奔している。「やるべきことを説明して〔反対意見も〕二回まで聞くが、三回目は自分の判断をさせてもらう」(十一月四日の国会答弁)と公言し、NSC専制体制の強化に突進する首相・菅。ここにこそ、菅のネオ・ファシストとしての本性が如実に示されているではないか。

しかも、菅政権は、NHKや民放などのマスコミをも、政府の〝翼賛・宣伝機関〟たらしめるために、マスコミ界の内情に通じている共同通信の元論説副委員長・柿崎明二を首相補佐官として抱きこんだ。そして、「放送法改正」をちらつかせ、「停波」などの行政処分によってマスコミ・報道機関を脅しつけるとともに、「グループ・インタビュー」と称してマスコミに〝政府公認〟の情報のみを一方的にたれ流させることを強制しているのが菅政権だ。これぞ、今日版の「大本営発表」！

まさにこれらの事態こそは、菅政権が政界・財界・官界および労働界にくわえて学界・マスコミ界からなる〈鉄の六角錐〉を柱として日本型ネオ・ファシズム支配体制を飛躍的に強化しつつあることを意味するのだ。

菅政権がいま、一挙に学術研究・言論・報道へのネオ・ファシズム的統制を強化しているのは、東アジアを焦点とした現下の米・中激突のもとで、日米安保同盟の鎖に繋がれたアメリカの「属国」として、対中国・対北朝鮮の先制攻撃体制の構築と、「交戦権否認・戦力不保持」をうたった第九条破棄、首相・NSCの「非常大権」を明記した「緊急事態条項」新設を核心とする憲法改悪に突き進もうとしているからなのである。アメリカとともに戦争をやれる軍事強国へと飛躍するために、それにふさわしい今日版国家総動員体制を構築することに血道をあげている菅日本型ネオ・ファシズム政権のウルトラ反動攻撃を断固として打ち砕け！

すべての労働者・学生・知識人諸君！　菅政権による学術研究・言論・報道にたいするネオ・ファシズム的統制の強化を許すな！　NSC専制の強権的＝軍事的支配体制の強化反対！　憲法改悪阻止！　敵基地先制攻撃の軍事体制構築を阻止せよ！　〈反戦反安保・反ファシズム〉の旗高く、菅日本型ネオ・ファシズム政権の打倒をめざしてたたかおう！

中小企業の淘汰を策す菅政権の指南役

「産業の新陳代謝」の名において菅政権はいま、「生産性が低い」とみなした中小企業は容赦なく淘汰し「活躍する中小企業」を重点的に支援するものに、産業政策を抜本的に改変しようとしている。

この菅政権の産業政策を指南し・〝中小企業の選別淘汰〟の旗を振る役を担っているのが、菅自身が「成長戦略会議」のメンバーに据えたデービッド・アトキンソン（小西美術工藝社社長）である。「私はアトキンソンさんの言う通りにやっている。そうしたら言う通りになってきている」と、菅はこの男の主張をべた褒めしている。

かつては投資銀行のソロモン・ブラザーズからゴールドマン・サックスへと渡り歩き、米英金融機関の手先としてバブル崩壊後の日本の不良債権問題をやり玉にあげたのがアトキンソンだ。この男は今日、日本経済の低迷・衰退、いわゆる「第四次産業革命」における米・中・欧へのたち後れは「日本の生産性が低い」がゆえであると言い、その「根本的な原因は、日本の企業の規模が小さすぎることだ」と描きあげる。

アトキンソンはこう言う。全企業数の九九・七％を中小企業が占める日本は、「小さい企業が圧倒的に多いという産業構造の歪みを抱えている」。「企業の規模が小さいほど生産性が低くなり、企業の規模が大きいほど生産性は高くなる」と。小規模事業者は、「最先端技術もキャッシュレス化もビッグデータもイノベーションもほとんど無縁」だから「価値がない」。しかも「人口減少の時代」なのに中小企業は「人を多くムダに雇っている」と。

そしてこう結論づける。「永遠に成長しない中小企業は、国の宝どころか負担でしかない」と。

アトキンソンは、「政府は成長しない企業を優遇・支援するな」と吹聴しつつ政府による中小企業への税優遇を研究開発費などに限定しろとか、補助金を支給するときには「生産性向上目標」を提出させろとかと、菅政権が独占資本家の意をうけてやろうとしている中小企業の選別淘汰策を後押ししているのだ。

独占資本家どもの意を体現

いま日本の独占資本家どもは、アメリカや中国や欧州などの巨大多国籍企業との競争に勝ちぬくためにと称して、日本の産業・企業の「労働生産性の向上」に血道をあげている。「生産性の低い企業を雇用調整助成金で支援することは日本全体の生産性向上の足を引っ張るから反対だ」と叫んでいるのが経団連会長の中西宏明だ。彼ら独占資本家は、政府の補助金・給付金などが中小企業にふりむけられるのはムダづかいだとみなしている。同時に、「人材」が中小企業から〝吐きだされる〟ことを舌なめずりしながら期待しているのだ。この独占資本家どもの利害を体現して菅政権が強行する中小企業の選別淘汰の策動。これを正当化するためにアトキンソンは、「生産性が低く、人をムダに多く雇う」中小企業は「国の負担」だからドンドンつぶしてかまわないと平然とうそぶいているのだ。

いわく「コロナ倒産の増加を恐れすぎるな」（！）と。この寒い年末に中小企業をつぶして多くの労働者を路頭に投げ出させろ、というのだ。こうした冷酷な〝米英投資銀行流〟の主張に日本人が〝ついていけない〟と感じ「ものづくりが大事」と思うのは、「日本人の頭の使い方」が「野生時代から進歩していない」からだ、とさえほざいているのがアトキンソンである。

この男のいうことはすべて荒唐無稽であり許しがたい。〝小企業は規模が小さいがゆえに生産性が低い〟などというのは、まったくデタラメな結果解釈だ。生産過程・業務過程の産業的・業種的・職種的の特性に決定されて、巨大な固定設備が導入できる部門とできない部門とが生じる。大企業の資本家は〝生産性が低く利潤率が低い〟とみなす部門には参入しない。自企業内のそうした部門は社外に放り出し・外注化し、中小企業に委ねる。そのうえでその中小企業を、たとえば部品を安く買いたたいたりして収奪し、「付加価値」なるものをつりあげているのが大企業なのだ。

そもそも、この男のいう「生産性」じたいがデタラメきわまりない。〝国や企業がうみだした付加価値を総労働時間で割り算したもの〟が「付加価値生産性」だというが、それはまったく恣意的なものでしかない。それを端的に示しているのが、この男がつくった世界の「生産性ランキング」だ。そのベスト・スリーは、天然ガス輸出国カタール、カジノを唯一の産業とするマカオ、そして金融立国ルクセンブルグだ。ギャンブルや金融投機でアブク銭を儲けている国を「生産性上位国」にならべるのは、アトキンソンがマネーゲーム＝虚業の世界の住人だからなのである。なんの使用価値も生産せずむしろ「人間の亡び」しかもたらさない「サービス」を高値で売って儲けることを「高生産性・高効率」とみなすブルジョア的倒錯のヘリクツが、この男のいう「生産性」だ。全世界の労働者・勤労人民にたかり・彼らの生き血を吸いとる寄生虫の臭いをプンプンとただよわせているのがアトキンソンである。この男を重用し、労働者・勤労人民にたいし攻撃の牙をむく菅政権を、断じて許すな！

〝菅流大本営発表〟＝「グループ・インタビュー」

二〇二〇年十月五日の「内閣記者会」において首相・菅義偉は、日本学術会議会員の任命拒否問題について「推薦された方をそのまま任命してきた前例を踏襲してよいのか」などという居直りの弁を一方的にまくしたてた。この「内閣記者会」のニュース映像を見た人は誰しも、明らかにいつもの記者会見とは様子が違う、と違和感を抱いたにちがいない。

会場の前方中央の机の前に菅が鎮座し、菅を囲むかたちでコの字型に配置された机の前に座った三人の記者だけが質問をおこなう。そして、カエルを睨むヘビのごとくに冷酷な菅の目線の先では、後方のイスに座らされた他の記者たちが菅の弁をただただ黙って聞かされているだけ……。これが、首相・菅および内閣官房が編みだした新たな会見方式――「グループ・インタビュー」なるものだ。菅官邸に言わせれば、あくまで首相の見解を拝聴するだけの「インタビュー」であって、記者からの疑問・異論に応答する「記者会見」などではない、というわけなのだ。

まさしくそれは、〝菅流の大本営発表〟さながらであった。質問を許されたのは内閣記者会常勤幹事社の三社（読売新聞・日本経済新聞・北海道新聞）であるが、その内容たるや、次のごとし。「政権発足から三週間経っての手ごたえは？」「改憲では国会での合意形成をどうすすめるか？」（読売新聞）、「携帯電話料金値下げについて」「国際金融センター構想について」（日本経済新聞）など――これら御用マスコミによる質問のすべてが、菅が政府肝いりの政策を宣伝できるように水を向ける〝サクラ質問〟なのだ。

他方で、学術会議問題については、北海道新聞の記者ただひとりが質問したのであるが、――あらかじめ質問内容が申告されていたのであろう――菅は用意された原稿をたんたんと棒読みし、追及らしい追及も受けることなく終了（「インタビュー」全体はわずか約二十七分間）。

マスコミ統制を許すな！

内閣官房は、この三社以外の記者たちをたんなる「傍聴者」としてのみ扱い、彼らに質問はもちろんのこと写真撮影さえ禁じたという。そして、画像・動画は事後的に、――官邸がチェックを入れたうえで――使用することを〝許可〟した。まさに菅政権は、「インタビュー」に参加した報道機関のすべてに、〝政府公認〟の政策宣伝を垂れ流すことを強制したのである。そして、新聞各社以外のフリージャーナリスト、批判的質問を浴びせるであろう彼らにたいしては、「グループ・インタビュー」への「同席」すら許さず、別室で・しかも音声を聞くだけの「権利」を抽選で与えるという徹底した〝格下〟扱いの措置をとったのであった。

政府の政策に異を唱え・政権の腐敗を調べようとする記者を徹底的に干しあげたうえで、首相・菅および内閣官房・ＮＳＣ（国家安全保障会議）が選定した〝政府に従順な〟記者だけからなる「グループ」へと内閣記者会を暴力的に再編する――これがネオ・ファシスト菅の悪辣なたくらみにほかならない。

まさにいま、菅政権は、改憲・安保同盟強化をはじめとする国策を支え・国家に奉仕するものとして〈マスコミ界〉をよりいっそう統制する策動に一挙にのりだしたのだ。日本学術会議から侵略戦争法などの反動政策に異を唱える学者を追放したこと＝〈学界〉へのファシズム的統制の強化とまさに軌を一にして！

すべての労働者・学生・人民諸君！　そしてすべての知識人・文化人のみなさん！　わが同盟が菅政権発足と同時に暴露してきたように、菅政権は、政・財・官・労にくわえて学界・マスコミ界とからなる〈鉄の六角錐〉を柱とする日本型ネオ・ファシズム支配体制の一挙的強化に突進している。この菅政権にたいして、ただちに反撃の闘いを巻きおこせ！　今こそ、〈反戦・反ファシズム〉の強固な戦列を構築せよ！

軍国主義帝国の断末魔を露わにしたアメリカ大統領選

アメリカ大統領選挙は、民主党バイデンが過半数の二七〇人を超える三〇六人の選挙人を確保し次期大統領の座を掌中におさめた（トランプは二三二人の選挙人を獲得）。

これにたいしてトランプは、あくまでも「敗北宣言」を拒否しホワイトハウスにしがみついている。もしも、はやばやと政権明け渡しを表明するならば「脱税容疑」（二〇一七〜一八年の所得税納税額合計はわずか約八万円！）やロシア・ゲートで税務・司法当局に訴追されかねない、このことに恐怖しているのがトランプなのだ。このゆえにこの男は、上院・下院の選挙での民主党の〝伸び悩み〟をにらみながら、訴追を免れるためのバイデンとの「ディール（取引）」にもちこむことを狙って、今も「投開票で不正があった」と言い張り「政権移譲」を拒んでいる。この「ディール」のために、各州で訴訟を乱発したり（次々に敗訴、あるいは弁護団が撤退）、「あと四年、あと四年」という〝トランプ・コール〟を煽りたて数千人規模の大衆集会を連日にわたって各地で開催したりしている。

今回の大統領選挙は、投票総数約一億五〇〇〇万票のうち、バイデンに七八〇〇万票、トランプに七二〇〇万票（前回を一〇〇〇万票上回る）が投じられるという、僅差の決着となった。このゆえにバイデンは、「勝利演説」において「赤い州も青い州もない」「私は団結の大統領になる」などともっぱらくりかえさざるをえなかった。このことのなかに、アメリカ社会における階級間・人種間・地域間の分断と対立の深まりが如実にしめされている。

トランプに票を投じた人民は、「メイク・アメリカ・グレイト・アゲイン（再びアメリカを偉大な国にする）」を叫びたて〝古き良きアメリカ〟（ベトナム戦争以前）へのノスタルジーを駆りたてるトランプに、〝落日のアメリカ〟からの脱出の夢を託したのだ。とりわけ、資本家どもから首を切られ失業地獄に突き落とされたことを黒人やヒスパニックの労働者に「職を奪われた」と思いこまされ被害者意識をつのらせてきた白人労働者たちの多くが、「経済優先・雇用回復」を叫びたて、白人至上主義や移民排斥を煽りたてるトランプにからめとられているのである。

他方、バイデンに票を投じたのは、コロナ・パンデミックにたいするトランプの〝対策放棄〟でひどい犠牲を強制され生活の危機に追いこまれた貧しい労働者・人民の多く、とりわけ黒人やヒスパニックの労働者たちが中心であった。彼らは、「ビルド・バック・ベター（より良き再建）」の名のもとに「コロナ対策優先」を叫び、「製造業復活・雇用改善」のための財政出動（再生エネルギーや公共インフラに「四年で二兆ドル」の巨額投資をおこなうというもの）を宣伝するバイデンに生活苦を打開する方途をみいだした。また四年前には「雇用回復」を掲げたトランプに票を投じた「ラストベルト（東部ペンシルベニアやミシガン、ウィスコンシンなどの中西部各州）」の非大卒の白人労働者たち（いわゆる中・低所得者層）の少なからぬ部分が、パンデミック下での工場閉鎖や首切りに直面して、「トランプに裏切られた」と幻滅と怒りをつのらせ、今回はバイデン支持へと転じたのだ。

現にアメリカ社会に孕まれる社会的・階級的矛盾に決定されて多くの労働者が虐げられ生活苦や病苦に突き落とされている。

今二〇年四月には二〇五〇万人の労働者が資本家どもによって首を切られ、失業率は大恐慌（一九二九年）以来最悪の一四・七％に達した。「ラストベルト」の各州においては、新型コロナ感染者が今秋いこう一ヵ月ごとに二倍、三倍のスピードで急増するとともに、石炭・鉄鋼・自動車などの工場閉鎖・失業が続発している。首を切られ収入を失うだけでなく健康保険から排除されているがゆえに病院にかかることもできない黒人労働者をはじめとする貧困層に、新型コロナ・パンデミックの犠牲が集中させられた。

そして、相次いで発生した黒人にたいする警察官による虐殺への抗議行動、これをトランプは「暴徒」と烙印し、「法と秩序」の名において警察力を強化し、白人労働者らを銃で武装しての「自衛行動」に駆りたてた。――これらに、黒人をはじめとする労働者・人民は怒りを沸騰させた。新型コロナ感染拡大下の郵便投票の条件緩和のもとで、彼らはかつてなく積極的に投票をおこなった（投票総数の三分の二にあたる約一億票が郵便投票を含む期日前投票）。

悲劇的なことに、アメリカ労働者階級は――ＡＦＬ－ＣＩＯ（アメリカ労働総同盟・産別会議）などの労働運動指導部の腐敗のゆえに――独占資本家階級の暴虐にたいして団結してたたかうどころか、相互に反目させられている。まさにアメリカ社会が、そしてアメリカ労働者階級・勤労人民が真っ二つに分断されていることを、今回の大統領選挙は露わにしたのだ。

この大統領選挙こそは、――すでに今世紀の冒頭に同志黒田寛一が「ヤンキーダムの終焉」と喝破したように――軍国主義帝国アメリカが音を立てて崩壊しつつあることを告げ知らせるものにほかならない。

（二〇二〇年十一月十五日）

馬毛島への米軍FCLP移転を阻止せよ

二〇二〇年十月七日、鹿児島県種子島の西之表市長・八板俊輔は、政府・防衛省が計画している馬毛島への米空母艦載機の陸上離着陸訓練（FCLP）移転とそのための訓練基地建設にたいして、騒音や漁業への影響をあげ「同意できない」と反対の態度表明をおこなった。これを聞いた官房長官・加藤勝信は「〔訓練は〕米空母がアジア太平洋地域で恒常的に活動するうえで不可欠」「できるかぎり早期に施設の整備がおこなわれるよう取り組む」（八日、記者会見）と、あくまで基地建設に突き進む意志を傲然と語った。

すでに政府・防衛省は、約一六〇億円で馬毛島の土地の九九％を取得した。その費用捻出方法たるや、辺野古新基地や高江ヘリパッドの工事費（一九年度予算）の一部を流用するという姑息な〝裏技〟を駆使したのだ。また地元自治体当局に知らせることなく、施設設計・現地調査のためにすでに企業と契約を結んだ（一八年度予算の流用）。地元種子島で高まる反対運動を封じこめ、地元自治体当局に有無を言わせぬために、既成事実を積み重ねているのだ。こうした術策を主導してきたのが、前官房長官・現首相の菅義偉なのである。

防衛省は、馬毛島（面積約八平方キロメートル）に滑走路や港・演習場を備えた新しいタイプの訓練基地を建設する計画にのっとって、二〇年中に島の環境影響調査に着手しようとしている。いよいよ正念場だ。われわれは、地元で粘り強くたたかう労働者・住民と連帯して、馬毛島への米軍FCLP移転・自衛隊基地建設を阻止するためにたたかうのでなければならない。

訓練場として島を丸ごと米軍に提供

アメリカ・トランプ政権は、日本政府にたいして、現在のＦＣＬＰの実施場所である硫黄島（小笠原諸島）が米軍岩国基地から遠く・天候も不安定で・火山活動も活発であるがゆえに「不適」として、日本本土に移すことを強硬に迫っている。

南シナ海を軍事拠点化し、さらに東シナ海から西太平洋にまで中国海軍の行動範囲を広げ制海権の奪取に突進し、さらには「台湾独立」の策動には武力行使も辞さずと公言する習近平・中国。彼らの対米挑戦に直面し焦りにかられているトランプ政権は、中国軍と対峙するために、核空母を中心とした米第七艦隊を動員して「航行の自由」作戦を強行するなど対中国の準臨戦態勢をとっている。彼らは米日共同の対中国戦争遂行体制の構築に血眼となっているのだ。

これにこたえて日本政府・防衛省は、沖縄・辺野古新基地建設や自衛隊基地の〝米軍仕様〟への再編工事に狂奔するとともに、沖縄と岩国の中間にある馬毛島へのＦＣＬＰ用基地の建設に突進しているのである。防衛省の「馬毛島における施設整備」なる計画書（註1、以下「計画」）において、彼らは、ＦＣＬＰを「年間概ね一～二回」「一回の訓練は約一〇日間」「日中から深夜」におこない、そのつど「米軍関係者は約一ヵ月馬毛島に滞在」するとはじめて明示した。これは猛烈な爆音をともなう艦載機訓練の影響を小さくみせるゴマカシだ。訓練地が本土近くになれば米軍の訓練内容も変わる。米軍は沖縄でも本土でも地元との「確認」を踏みにじった訓練をくりかえしている。

米軍の訓練のために、防衛省は「計画」で主滑走路（二四五〇メートル）と副滑走路（一八五〇メートル、横風用）の二本もの滑走路を敷設するだけでなく、管制塔、駐機場、格納庫、燃料施設、訓練用隊舎もつくることを具体的に明らかにした。これはまさしく、対中国の威嚇的な軍事行動をくりかえしている米軍にたいし、巨額の血税を投入して基地を造り〝どうぞお使いください〟と丸ごと差しだす暴挙なのだ。

上陸演習場・軍港も備えたマルチ訓練基地

しかも菅政権は、馬毛島基地を日米共同（および自衛隊独自）の様ざまな軍事訓練をおこなえる基地としてつくりだそうとしている。

防衛省は「計画」で、空港施設だけでなく、船舶係留施設、訓練場までもつくると明示した。そして「一五〇〜二〇〇名の自衛隊員」を常時配置するという。

訓練内容も「計画」で具体的にうちだした。「連続離着陸訓練（F35、F15、F2等）」「模擬艦艇発着艦訓練（F35B）」「［オスプレイやヘリからの］展開訓練」「［水陸両用車やホバークラフト型揚陸艇を使った］水陸両用訓練」「空挺降下訓練」などを写真つきで列挙している。

「模擬艦艇発着艦訓練」と称する短距離離陸・垂直着陸の訓練は海上自衛隊の空母型「護衛艦」に搭載されるステルス機F35Bのためだけではない。米軍佐世保基地配備の強襲揚陸艦（＝軽空母）に搭載したF35Bの訓練にも使用するにちがいない。

さらに菅政権は、日米共同の敵前上陸作戦の訓練にも使うつもりだ。「計画」では、主滑走路の南西側の一帯に「訓練施設」設置を計画し、陸上自衛隊の水陸機動団や空挺部隊の訓練を「実施予定」として列挙している。このかん日本版海兵隊たる水陸機動団は米海兵隊の一翼に組みこまれるかたちで、戦闘訓練を国内や世界各地で積み重ねてきた。

今後その内実は、米海軍・海兵隊がたてているEABO（遠征前方展開基地作戦）構想（註2）などの海域・離島での機動的な作戦計画に呼応するものにもなるにちがいない。米軍は沖縄・伊江島でEABO構想にもとづく離島分散展開・対艦攻撃の訓練を一九年秋以降くりかえしている（註3）。有事の際に中国軍のミサイル攻撃を回避しつつ、中国の空母艦隊にたいして「第一列島線」の離島に分散展開して先制攻撃を加えることを狙った作戦計画をたてているのが米軍なのだ。

こうした米軍と一体化するかたちで日本国軍を強化しようとしているのが菅政権だ。水陸機動団と一体で前線に投入される電磁波戦部隊を二一年春にも熊本市の陸自健軍駐屯地に創設する計画である（註4）。陸自オスプレイの佐賀空港配備も虎視眈々と狙っている。彼らは、日米両軍の様ざまな離島上陸訓練を可能にするために、馬毛島を部隊の軍事訓練場にしようとしているのである。

火薬庫を備え有事には前線出撃基地に

そればかりではない。防衛省は、あらたに「島嶼部にたいする攻撃への対処」にも活用することを明らかにした。馬毛島に計画する訓練基地を、いざとなれば対中国の出撃拠点に〝転用〟可能なものにするというのだ。東シナ海に臨むこの無人島を有事の際の集積・補給拠点（＝出撃基地）として機能させるために、滑走路と船の係留施設に加えて火薬庫を設置しようとしている。それは、南西諸島に構築されつつある基地網の一部として、陸・海・空いずれの部隊も使用可能な新たな軍事拠点を築く追求にほかならない。菅政権は、アメリカ権力者とともに対中国（対北朝鮮）の「敵基地」先制攻撃体制の構築を急ピッチで進めているのだ。

この馬毛島へのＦＣＬＰ移転・基地建設にたいして、地元の種子島・屋久島の住民は「騒音・事故の危険性」や「漁業の壊滅」への危機感をバネに抗議の声をあげている。

われわれは、「反安保」を完全に放棄した日共中央を弾劾し、〈日米新軍事同盟の強化反対〉の旗幟を鮮明にして、馬毛島への米軍ＦＣＬＰ移転阻止・自衛隊基地建設反対の闘いを高揚させるのでなければならない。

池　上　菊　三　郎

〔参考　本誌第三〇一号「馬毛島への米軍ＦＣＬＰ移転・自衛隊訓練基地建設」〕

註1　二〇年八月七日に防衛副大臣・山本朋広（当時）が県知事と西之表市長に提示した基地建設計画書

註2　『解放』第二六三七号四面参照

註3　本誌第三〇九号「米海兵隊を対中国最前線展開部隊に再編」参照

註4　同、「陸自『電子戦』部隊の創設」参照

敵基地先制攻撃体制構築を阻止せよ

――自民党政調「提言」の反人民性――

首相の座に就いた菅義偉は二〇二〇年九月十六日に新内閣を発足させるやその日のうちに、防衛相に任命した岸信夫にたいして「ミサイル阻止に関する安全保障政策の新指針」を年内に決定せよと指示した。「イージス・アショア」に代わる新たなミサイル防衛システムの導入のみならず敵基地に先制攻撃をしかけることのできる軍事体制の構築に突進しようとしているのが菅政権なのだ。

「ミサイル阻止能力の保有」を謳う自民党

菅政権が策定せんとしている「ミサイル阻止」の新指針、その基本的方向性を明示しているのが、自民党政務調査会が八月四日に政府に提出した「国民を守るための抑止力向上に関する提言」(以下、「提言」と略す)である。

「提言」において自民党国防族議員どもは、中国やロシアが開発を進めている「極超音速滑空兵器」や北朝鮮が発射実験をおこなった「低空かつ変則的な軌道で飛翔可能なミサイル」、「極超音速の巡航ミサイルや大量の小型無人機によるスウォーム飛行」などを「従来のミサイル防衛システムを突破するようなゲームチェンジャー」となりうる「新たな経空脅威」とみなし、これへの対応を喫緊の課題として提示している。そして「わが国は防御、米国は打撃」という従来の日米同盟の「役割分担」にもとづく「ミサイルの迎撃」だけでは「防御しきれない」と称して、以下のような新たな「日米同盟全体の抑止力・対処力の向上」策なるものを提言している。

第一項目には、「イージス・アショア代替機能の確保」だけではなく、「総合ミサイル防空能力の強化」の環として「米国の統合防空ミサイル防衛（IAMD）との連携」が掲げられている。第二項目として、「相手領域内でも弾道ミサイル等を阻止する能力〔敵基地攻撃能力〕の保有」がうちだされている。

米ＩＡＭＤとの「連携」

「提言」で「連携」が謳われているアメリカのIAMDとは、弾道ミサイルのみならず巡航ミサイル、極超音速兵器、変則軌道のミサイルや無人機などのあらゆる敵軍の「空からの脅威」にたいして、複数のセンサーと陸・海・空・宇宙配備の兵器システムを組みあわせて対処する、というものだ。米国防総省は、この「統合ミサイル防衛戦略」の「一部」として「敵ミサイルを発射前に破壊する攻撃作戦」を明確に位置づけている（「ミサイル防衛見直し」一九年）。

アメリカ権力者が確立せんとしているこうしたIAMD体制の一翼を担い・米軍と一体化した「総合防空」システムの構築に踏みだすべきことを主張しているのが自民党「提言」だ。この「提言」を叩き台として菅政権は、敵国のあらゆるミサイル攻撃を阻止する新MDシステムをアメリカとともに構築する指針を早急に策定せんとしている。日米安保条約にもとづく日・米間の従来の「役割分担」を無視して〝自国は自分で守れ〟と迫るトランプ政権の圧力をうけて、菅政権は敵国のミサイル攻撃を阻止する先制攻撃を日本国軍が実行しうる軍事体制の構築に現に踏みだそうとしているのである。

先制攻撃用兵器の導入

海自の最新鋭イージス艦「まや」

航空自衛隊三沢基地に配備を開始し・合計一四七機をアメリカから大量購入するF35ステルス戦闘機。このF35およびF15戦闘機に「スタンドオフ・ミサイル」(長距離巡航ミサイル)を搭載すること、F35Bの離発着が可能な空母に「いずも」型護衛艦を改修することは、すでに決定されている。中国や北朝鮮の軍事基地にたいする直接攻撃に使用しうるこれらの兵器の導入を現に開始しているのが日本帝国主義権力者なのだ。

政府・自民党は、より長射程(一三〇〇キロメートル)のアメリカ製の精密誘導巡航ミサイル「トマホーク」の導入をも企んでいる。現有の海上自衛隊護衛艦のミサイル格納容器を若干改修すればトマホークを搭載することができる。〔飛行速度が遅いトマホークでは、北朝鮮や中国が保有する迅速に移動できる装輪の発射台に搭載されたミサイルを破壊するのは不可能といえる。このゆえにトマホーク導入推進派の自民党国防族どもは〝地上基地を叩くことに限定する〟などという言辞を弄している。〕

日米両軍のネットワーク化

三月に就役した海自イージス艦「まや」には、戦闘情報をリアルタイムで共有する米軍のネットワーク・システム＝CEC(共同交戦能力)が搭載され、IAMDの一環をなすNIFC-CA(海軍統合火器統制-対航空)能力——当該艦艇のレーダーでは捉えられない水平線以遠から高速で接近する巡航ミサイルや戦闘機を、早期警戒機や戦闘機や他の艦船が探知した捕捉情報をリアルタイムで共有することによって捕捉し迎撃しうる——をもつとされる。このCECは、二〇二一年三月就役予定のイージス艦「はぐろ」および一九年から三沢基地に配備が開始されている空自早期警戒機E2D（二五年度末までに計十三機導入予定）にも搭載される。さらに、F35戦闘機に搭載されているデータリンク（MADL）は、CECとの統合が可能とされる。

　これらのCEC・MADLを搭載した日本国軍のイージス艦・E2D・F35は、すでにCECでネットワーク化されている米軍の空母・イージス艦やE2D・F35とリアルタイムで戦闘情報を共有することになる。米軍の早期警戒機・衛星による敵軍捕捉情報にもとづいて日本国軍のF35が「相手領域内」に攻撃をしかける――こうした日米共同作戦を可能にする日米両軍のネットワーク・システムが構築されつつあるのだ。

アメリカ衛星群への組み込まれ

　「提言」では「極超音速兵器等の探知・追尾のため」の「低軌道衛星コンステレーションの活用」が謳われている。これにかんしては、すでに日本政府が「宇宙基本計画」（二〇年六月三十日に閣議決定）において、「ミサイルの探知、追尾等」のためにアメリカの「小型衛星コンステレーション」――IAMDの〝眼〟をなす――と「連携」するという指針をうちだしている。

米軍が計画中の宇宙監視網「極超音速・弾道追跡宇宙センサー（ＨＢＴＳＳ）」は、低軌道上に赤外線センサー搭載の小型衛星を大量に配備するというものだ。これを活用したアメリカの新たなミサイル防衛システム構築への日本の参加・協力に向けて日米協議がすでに開始されていることを、米国防総省が明らかにしている（七月）。中・露の極超音速兵器に対応しうる新たな探知・追尾システムを構築しようとしているアメリカ権力者に日本（宇宙航空研究開発機構ＪＡＸＡ）の宇宙技術と衛星を供出しようとしているのが菅政権なのだ。

日米新軍事同盟の強化・憲法改悪反対！

自民党「提言」でうちだされている「ミサイル攻撃を防ぐために相手領域内で阻止する」という「抑止力向上」策なるものは、日米共同の対中国・対北朝鮮侵略戦争遂行体制を構築せんとするものであり、日本の労働者・人民を核戦争勃発の危機に叩きこむ反人民的な代物いがいの何ものでもない。日米共同のＩＡＭＤ・先制攻撃体制構築の策動にたいして中・露・北朝鮮が軍事的対抗に狂奔し、軍事的角逐がいっそう激烈化することは明らかである。もしも日本政府がトランプ政権とともに敵基地攻撃体制の構築につきすすむならば、北朝鮮や中国の権力者どももまた在日米軍基地や自衛隊基地を射程に入れた軍事攻撃体制を対抗的に強化するにちがいない。地下に隠された北朝鮮や中国の移動式ミサイル発射台のすべてをあらかじめ探知することなど不可能であり、移動式で固形燃料型のミサイルはどこからでも即座に発射できる。北朝鮮・中国の権力者による日本への〝ミサイル飽和攻撃〟を呼びおこし、まさに日本が核戦争の戦場と化す危機が高まるのだ。〔「提言」には「シェルターの確保」も記されている。日本が核戦争の戦場となることをも、自民党政治エリートどもは想定しているのだ。〕

日米共同の敵基地先制攻撃体制の構築を断じて許すな！　今こそ〈反戦反安保・改憲阻止〉の闘いの奔流をまきおこせ！

アメリカの対中国戦争計画への呼応
——二〇二〇年版『防衛白書』——

赤兎望

敵基地先制攻撃体制の構築——安保＝軍事政策の歴史的転換

菅政権はいま、敵基地先制攻撃体制を構築することに全体重をかけて突き進んでいる。「衛星コンステレーション」＝大量の小型衛星網によって中国・ロシア・北朝鮮のミサイルの軌道を把握するとともに、「敵基地」や移動式ミサイル発射装置などの攻撃目標を〝丸裸〟にする。敵とみなした国家のレーダー・衛星通信網を破壊し防空システムを無力化しつつ、あらゆるミサイル発射拠点に戦闘爆撃機・各種ミサイルなどで先制攻撃をしかけ殲滅する。——こうした敵基地先制攻撃作戦を米軍と一体になって日本国軍が遂行する軍事体制を構築することをめざしているのが菅政権なのだ。

こうした敵基地先制攻撃体制を構築せんとする日

本帝国主義権力者の策動は、従来の日米共同作戦上の「役割分担」――米軍が攻撃を担い、自衛隊が「後方支援」をするというそれ――の〝枠〟を完全にとりはらうものであって、日米新軍事同盟を文字通りの攻守同盟として新たな次元で強化することを意味する。

現代世界は、新型コロナパンデミックおよび経済破局にのたうちまわるアメリカを一気に抜きさろうとしている中国と、これをいまのうちに叩きのめさんとあがくアメリカとが、あらゆる部面で激突している。このまっただなかにおいて、日米安保同盟の首輪をガッチリとはめられアメリカ権力者から対中・対露の「打撃部隊」の一翼を担うことを迫られている日本帝国主義権力者は、憲法第九条を完全になきものにし、米軍とともに日本国軍が敵国へ先制攻撃をしかける軍事体制を築かんとする一大反動攻撃にうってでているのである。

菅政権は、年内に「防衛計画の大綱」および「中期防衛力整備計画」を改定し、敵基地先制攻撃体制の構築を基軸とする新たな安保＝軍事政策を策定しようとしている。この安保＝軍事政策の歴史的転換をはかろうとしている政府・防衛省の国際情勢認識および軍事戦略上の問題意識が如実に示されているのが二〇二〇年版『防衛白書』（二〇年七月十四日発表、以下『白書』と略す）である。

中国の全面攻勢への焦燥

二〇二〇年版『白書』で提示されている現時点の政府・防衛省の国際情勢にかんする捉え方、その最大の特徴は、政府・防衛省が、中国・習近平政権による新型コロナ・パンデミックを利用しての一大攻勢を、焦燥感を露わにしながら〝国際社会にとっての脅威〟として描きあげていることである。いわく「〔中国は各国への〕同感染症対策にかかる支援を梃子に、戦略的に自らに有利な国際秩序・地域秩序の形成や影響力の拡大を図りつつ、自国の政治・経済上の利益の増進を図っている」。いわく「軍による同感染症への対応が本格化した以降も、わが国周辺海空域などにおける活動の拡大・活発化の傾向は継続している」、「東シナ海においては、力を背景とした一方的な現状変更の試みを継続」している、と。

今日、世界最大の感染国と化したアメリカをはじめとしてあらゆる国家の政府が自国におけるコロナ感染拡大を封じこめることに大わらわとなっている。このことに乗じて習近平の中国が二十一世紀世界の覇権を握るための政治的攻勢にうってでている。アメリカが、パンデミックの封じ込めに失敗し空母機動部隊をはじめとした米軍が機能麻痺に陥ったことを絶好の機会とみなして、南シナ海・東シナ海・西太平洋の制海権・制空権をアメリカから奪取することをめざした軍事行動を一挙に活発化させている。――こうした中国の動向に、政府・防衛省は驚愕と危機意識を露わにしているのだ。

極超音速兵器―中国のＤＦ17（上）とロシアのアバンガルド（下）

中・露の新型ミサイル開発への危機感

政府・防衛省の情勢認識上の第二の特徴は、中国・ロシア・北朝鮮の新型ミサイル開発について、その〝脅威〟をおしだしていることである。「極超音速滑空兵器」などの新型ミサイル開発について防衛省は、「ミサイル防衛の突破が可能な打撃力を獲得するため」ととらえ、低空を音速の五倍のスピードで飛行したり、軌道が変則的になったりするこれらの兵器に、既存のＭＤ（ミサイル防衛）システムによって対応することは困難であることを強調する。金正恩政権によるミサイル開発については「固体燃料を使用し」移動式発射装置を備えていて「発射の兆候把握を困難にするための秘匿性や即時性を高め、奇襲的な攻撃能力の向上を図っている」と、北朝鮮が米・日のＭＤシステムを突破しうるほどにまでミサイル技術を高度化させているとみなして危機意識を露わにしている。

このように中・露・北朝鮮がミサイル技術を高度化させていることをとりわけ強調しているのは、政府・防衛省が米日共同の新たな「統合防空ミサイル防衛」(ＩＡＭＤ)システムのみならず日本国軍が米軍と一体となって対中・対露・対北朝鮮の先制攻撃をしかけうる軍事体制の構築にのりだすことを正当化するためにほかならない。すでに六月に政府・防衛省が、「イージス・アショア」配備を撤回することを公表し、自民党国防部会は〝敵基地攻撃能力を保有すべきだ〟と叫びたてはじめた。これを受けて防衛省は『白書』において「敵基地攻撃能力を保有」する布石を打っているのだ。

アメリカとともに戦争をやる軍事強国への突進

今回の『白書』は、形式上は二年前に策定した「防衛計画の大綱」を踏襲するかたちをとっている。だが、現代世界がいつ火を噴くともしれぬ米中冷戦構造へと急旋回しているもとでアメリカ帝国主義権力者が練りなおしている対中国の作戦構想に呼応して、軍事戦略上の力点を明確に据えなおしているといえる。

日本国軍の対中最前線部隊としての強化

『白書』第三部第一章「わが国自身の防衛体制」において最も力点が置かれているのは「島嶼部に対する攻撃への対応」である。「事前に兆候を得たならば……敵に先んじて部隊を機動・展開し、侵攻部隊の接近・上陸を阻止する」「海上優勢、航空優勢の確保が困難な状況になった場合でも、侵攻部隊の脅威圏の外から、その接近・上陸を阻止する」という対中国の作戦構想にかんする叙述じたいは、前年とほぼ変わっていない。だがそれは、いまや米海兵隊司令部による「ＥＡＢＯ(遠征前方展開基地作戦)」なる作戦構想に組みこまれていることを念頭に置いたものとされているといえる。「多次元にわたる日米共同対処能力の向上」と題したコラムで、陸上拠点から敵艦船を攻撃する訓練を含む「オリエント・

シールド19」において「米陸軍ＭＤＴＦ（マルチ・ドメイン・タスクフォース）との連携」を深めたことの意義が謳われていることに、右のことは露出している。

すなわち、有事＝中国軍にたいしての戦端をひらく際にはいち早く米軍の「インサイド部隊」が「第一列島線上」の島々に機動展開し、中国軍のミサイル攻撃を浴びながらも、拠点を次々と移しながら中国軍を攻撃しつづけ、「アウトサイド部隊」による中国軍拠点・本土への全面攻撃の道を切り開く、という米海兵隊司令部の戦争屋どもが考えだした対中国侵略戦争計画。これに呼応し、この作戦の主力部隊に日本国軍が加わることを構想しているのが防衛官僚どもなのだ。

日米共同訓練「オリエント・シールド19」（19年８～９月、九州）

政府・防衛省が「島嶼防衛」の名でアメリカ政府・国防総省とともに日米共同の対中戦争計画を練りあげているのは、南シナ海・台湾・東シナ海の〝島々〟をめぐって米―中のあいだでいつ戦火が噴きあがるか分からない緊迫した情勢に突入していることへの危機意識に駆られているからである。そして、習近平政権が尖閣諸島周辺の海域に艦船を常駐させ、中国漁船だけでなく日本漁船にたいしても「警備活動」を「常態化」させるなど、尖閣諸島を中国の領土とするために既成事実を着々と積み重ねている。これに対抗して、中国軍と軍事衝突することも構えているからなのだ。

「領域横断作戦」における「攻撃力」の獲得

政府・防衛省が「防衛体制」強化にかんして第二に力点を置いているのは、「宇宙・サイバー・電磁波」といった「新たな領域」を含めた「領域横断作戦」である。彼らは言う。「現在の戦闘様相は、陸

・海・空という従来の領域のみならず、宇宙・サイバー・電磁波といった新たな領域を組み合わせたものとなって」おり、この状況においては「宇宙・サイバー・電磁波といった新たな領域において攻撃を阻止・排除することが不可欠」である、と。

宇宙空間においては「相手方の指揮統制・情報通信を妨げる能力」、「サイバー分野」においては「有事において……相手方のサイバー空間の利用を妨げる能力」、「電磁波分野」においては「相手方のレーダーや通信などを無力化するための能力」……。これらを彼らは、「領域横断作戦」における自衛隊の「攻撃力」として明示している。そのことは、たとえば「電子攻撃」という表現を今年の『白書』で初めて使っていることに如実に示されている。

「相手国のレーダーの無力化」が「敵基地攻撃」作戦の一環であることを、今年の『白書』発表直前の七月九日に国会(外交防衛委員会閉会中審査)において明言したのが当時の防衛相・河野太郎であった。明らかに政府・防衛省は、いわゆる「新領域」における日本国軍の作戦遂行能力を、先制攻撃体制を構築するためにこそ抜本的に強化せんとしているのである。

「ゲーム・チェンジャー」＝最先端軍事技術の開発

第三に政府・防衛省は「ゲーム・チェンジャーとなり得る最先端技術」の開発の必要性を強調している。

「多数の無人機(ドローン)などを瞬間的に無力化できる高出力マイクロ波、無人機(ドローン)や迫撃砲弾といった脅威に、低コストかつ低リアクションタイムで対処する高出力レーザー」など。——こうした「最先端」の軍事技術開発に政府・防衛省が執念を燃やしているのは、米・日が、中・露にたいして「技術的優位」を確保することが中・露両軍に打ち勝つ核心と位置づけているからなのである。

「人工知能技術」「極超音速兵器」「高出力エネルギー技術」「量子技術」などの最先端技術開発について、現時点ではアメリカ・中国・ロシアがほぼ横一線で並んでいると『白書』においては危機意識をもって描写されている。これは、中・露が軍事技術の一部においてはすでに、アメリカを凌駕していることへのアメリカの「属国」としての焦りの表出以外のなにものでもない。日米安保同盟の鎖で締めあげられている日本帝国主義権力者どもは、日本が有する宇宙・衛星技術や量子技術の供出を迫るアメリカ帝国主義権力者の要請に応えるためにも、高度先端技術の開発に突進しているのだ。

〔日本学術会議の新会員人事にかんして菅政権は、安倍政権の反動諸政策に反対してきた六名の任命を拒否した。これは、トランプ政権の強い要請に応えて中・露に対抗する軍事科学技術の研究・開発に日本の科学者を総動員しうるように、日本の科学技術の軍事利用に抵抗する現在の日本学術会議を解体的に再編するための強権発動にほかならない。〕

「自由で開かれたインド太平洋」という名の中国包囲網形成

第四には、「わが国防衛の三つの柱」(第三部)において「わが国自身の防衛体制」「日米同盟」につづく三本目の「柱」として「多角的・多層的な安全保障協力」を対中国包囲網づくりとして推進することが実質上うちだされていることである。それは、

「『自由で開かれたインド太平洋』というビジョン」にとって「軍事力の急速な近代化や、軍事活動を活発化させている国〔中国とロシアを指す〕が見られる」ことへの対応が「課題」だ、と『白書』に明記されたことに示されている。

習近平政権は、「人類運命共同体」なる欺瞞の旗をふりかざし、各国への医療支援やワクチン開発とその提供を梃子として全世界にみずからの覇権を確立しようとしている。これに対抗してトランプ政権は「自由で開かれたインド太平洋」などと称して対中国包囲網を形成しようとあがいている。このトランプ政権の尖兵を買って出ているのが日本帝国主義権力者どもなのだ。

まさにこのゆえに、核戦力の大増強に突進し膨張主義をむきだしにする中国に対抗するために、「日米同盟を基軸として普遍的価値や安全保障上の利益を共有する国々との密接な連携を図る」と称してオーストラリア・インド・東南アジア諸国・ヨーロッパ諸国・カナダおよびニュージーランドなどとの軍事協力を、日本の安保＝軍事政策の重要な環として位置づけているのが政府・防衛省なのである。

以上のような『白書』に示されているのは、アメリカとともに対中国の侵略戦争を遂行しうる一流の軍事強国への道にほかならない。菅新政権によるアメリカと一体での対中攻守同盟としての日米新軍事同盟の新たな次元での強化は、米中冷戦下で硝煙が上がる現代世界の戦争勃発の危機を一挙に高める反人民的な策動にほかならず、日本帝国主義国家が没落する軍国主義帝国アメリカとともに心中する道なのである。

われわれは「反安保」を放棄した日共系平和運動をのりこえ、敵基地先制攻撃体制の構築阻止の闘いを「日米新軍事同盟の強化反対」の旗高くたたかうのでなければならない！　新たな「防衛大綱」「国家安全保障戦略」の策定を断固として阻止せよ！　中・露の対米核戦力の強化反対！　米―中・露の核戦力強化競争反対！　米中冷戦下の戦争勃発の危機を突き破る革命的反戦闘争を断固として国際的にまきおこそう！

「ワクチン開発」の裏で進められる生物兵器開発

母子里 巌

世界を覆い尽くす新型コロナ・パンデミック。傲岸にも「新型コロナでアメリカの時代は終わった」などと叫びたて〝世界の中華〟に躍り出る絶好のチャンスとばかりに、トランプのアメリカへの政治的・軍事的・経済的の攻勢を強めている習近平の中国。この中国を起動力として現出した新たな〈冷戦〉下で、いまやアメリカ―中国・ロシアの権力者どもは、いよいよ核軍事力増強と宇宙軍拡に拍車をかけるとともに、ワクチン開発競争の裏側で生物化学兵器開発に鎬(しのぎ)を削っている。

二〇二〇年夏、彼らは〝コロナ・ワクチンを制するものが世界を制す〟とばかりにワクチン開発競争に驀進している。トランプ政権は、一兆五〇〇〇億円という莫大な国家予算を投下し、大量の学者と軍関係者、民間企業を動員したワクチン開発プロジェクトをたちあげた。「ワープ・スピード作戦」などと命名して「これはマンハッタン計画に比肩する大事業だ」などと豪語している。他方、習近平の中国は、武漢ウイルス研究所、ハルピンウイルス研究所など軍統轄下のバイオテクノロジー研究施設を筆頭にワクチン開発に邁進している。治験には大量の人民解放軍兵士をかりだし、大量生産には世界有数の薬品企業シノパック、カンシノなどを全力動員するという総動員体制で臨んでいる。そして国策にのっとってワクチン開発に精を出している研究者たちは、ワクチン製造に新たな遺伝子組み換え・ゲノム編集技術を投入しゲノム編集技術をどしどしと刷新しようとしているのだ。

警戒せよ！　それは新たなバイオハザードの危険をはらんでいるだけではない。ワクチン開発技術に投入されている遺伝子操作技術は、同時に新たな生物化学兵器を開発するための技術的基礎ともなるのだ。いや米中の権力者どもは、この〈冷戦〉下での軍事的優位をなんとしても確保するために、新たな生物化学兵器開発の狙いをもこめてワクチン開発に突進しているのだ。

われわれは、新型コロナ・パンデミックの直後から「このウイルスが中国当局による人為的被造物であるとの推論も十分成立する」と喝破してきた（本誌第三〇七号）。そして、権力者どもがワクチン開発のための遺伝子操作技術をつねに必ず生物細菌兵器開発に活用していることについても、つとに暴きだしてきた（北海道大学Ｐ３施設建設（『共産主義者』第九九号参照）、戸山研究センター（東京都新宿区）Ｐ３施設建設（『解放』第一〇一六号参照）等々）。いま、「人類の生命を救う」という謳い文句で進められている国際的な〝ワクチン開発競争〟が、権力者どもによって生物兵器開発につなげられていることを、われわれは断固暴きだしていかなければならない。

武漢ウイルス研究所での遺伝子操作技術を駆使した「ＳＡＲＳワクチン」開発

中国・習近平政権は、「ＳＡＲＳ対策」を謳いオバマ政権時代のアメリカからの資金援助もひきだして、武漢ウイルス研究所にＢＳＬ４（最高度の物理的封じ込め能力をもつ。旧称Ｐ４）遺伝子操作実験施設を完成させた（二〇一五年）。そして、この実験施設では、北京官僚の肝入りで、「ＳＡＲＳワクチン」開発の名のもとに遺伝子実験をくりかえし生物兵器に応用できるゲノム編集技術を高度化させてきたのである。

中国科学院の武漢ウイルス研究所に建設された中国初の最高レベルＢＳＬ４（旧称Ｐ４）実験室

副所長・石正麗のチームは、従来の手法（ウイルスそのものを熱・化学処理などして弱毒化・不活化するという手法。この方法をふくめＳＡＲＳワクチン開発はなお成功していない）ではなく、遺伝子操作技術を駆使したワクチン開発にとりくんできた。それはコウモリなどの獣コロナウイルスにヒトの細胞への感染力を獲得させるなどの「機能獲得型（ＧＯＦ）研究」にほかならない（註１）。

石正麗のチームは手当たり次第にコロナウイルスを収集してきたといわれている。それは、この手法に不可欠なＳＡＲＳ類似のコロナウイルスを見つけだすためだと思われる（註２）。石正麗は二〇一三年には、ＳＡＲＳウイルスがコウモリに寄生するウイルスに酷似することをつきとめ、それ以降は、あらゆる種類のコウモリを求めて中国奥地の洞窟を探索し・捕獲したコウモリを武漢に持ち帰り寄生するウイルスを抽出・収集しつづけたのである——石が「バットウーマン」という異名をもつのはそれに由来する。武漢ウイルス研究所に保管されているウイルスは一五〇〇種、延べ一〇万株にのぼるといわれている。そのうちコロナウイルスは約四十種あるとされているが、人工的に変異させたものも含めると、コロナウイルス株は数百や数千種類にのぼるのではないかと思われる。遺伝子操作によって人工的に変異させた、いまだ知られていない新しいコロナウイルス（種）が研究所内に隠匿されている可能性も否定できないのである。

実際、石らの研究チームは、探しだした〈SARS類似ウイルス〉にヒト細胞への感染能力を獲得させることをめざした遺伝子操作をくりかえしてきたことを公言してもいる。一五年に石正麗は「コウモリ寄生のSARS類似ウイルスと、マウスに感染するウイルスとを融合させたキメラウイルス作製に成功した」と発表（『日本経済新聞』二〇年五月二十九日付）――つまり、〈本来マウスには感染しないSARS類似ウイルス〉に、他のコロナウイルスを「融合」させ、マウスへの感染能力をもたせることに成功したというのである。

これらのことからして、石正麗のチームは、表向きは〈弱毒性のウイルス〉を人為的につくることをめざしたのであったが、故意にか偶然にか、いわば〈強毒性〉の新型コロナウイルスをつくりだした可能性があるといえる。バットウーマンこと石が発見したキクガシラコウモリ寄生のウイルスと、今回の新型コロナウイルスの遺伝子が酷似している（九六％の相同性）ことからしても、それは推察しうるのである。

「遺伝子操作」説のもみ消しに狂奔する中・米両権力者

われわれは武漢ウイルス研究所が、中国の軍統制下におかれていることに改めて注目しなければならない。武漢ウイルス研究所は、中国のワクチン開発の最先端であると同時に生物兵器開発の先端でもあるのだ。

石正麗のチームが収集した多種多様なコロナウイルスには〈強毒性・強感染性〉のそれも含まれていたはずである。彼らがおこなっていた遺伝子実験は表向きは、SARSワクチン開発であるとはいえ、その技術は〈強毒・強感染力のウイルス〉に〈ヒトへの感染能力を付与する〉技術にただちに応用できるものでもあるのだ。

未知の〈ヒト感染能をもつ強毒性ウイルス〉はただちに細菌兵器開発に直結する。さらにこの未知のウイルスとそのワクチンを同時に完成させるならば、この〝セット〟はきわめて強力な「スーパー細菌兵器」となる（敵軍にとっては未知のウイルスであるがゆえにまったく「防疫」不能となり戦闘力喪失にたたきこまれるが、ワクチンを事前接種した自軍にとってはまったく無害なのだからである）。

アメリカ帝国主義との核戦力強化競争を熾烈にくりひろげる習近平政権が、核兵器や宇宙兵器開発のみならず生物兵器開発をおしすすめていることは疑う余地がない。この政権の指示と軍の統括のもとで、石らの研究がおこなわれていたのだ。

二〇年二月いこう姿を隠していた石正麗は、五月になってマスコミの前に登場し「新型コロナウイルスなど研究室で見たこともない」「ウイルス研からの漏出もありえない」と全否定し、自分がおこなってきた研究・実験のいっさいについても隠蔽を決めこんだ。習近平政権は、武漢ウイルス研の査察も調査もいっさいを拒絶し「遺伝子操作・武漢ウイルス研漏出」説のもみ消しに狂奔している。

そしてかのＷＨＯ（世界保健機関）トップのテドロスらは「新型コロナウイルスが人為的産物だという証拠はない」「新型コロナは動物由来」などと強調している。

他方、アメリカ権力者たちもまた、武漢ウイルス研からの「漏出の可能性とその感染経路」を問いこそすれ、ウイルスの「出自・発生」についてはいっさい不問に付しているのだ。米国家情報長官室は「コロナは人工物ではない」と声明を発し、動員された御用学者たちは声をそろえて「遺伝子操作の痕跡はない」「動物由来だ」と喧伝している。

実のところトランプ政権は、新型コロナウイルスが遺伝子操作によって発生したことに確信をもっているにちがいない。彼らアメリカ権力者は武漢ウイルス研の内情を熟知している。アメリカ国立アレルギー・感染症研究所は、コウモリを宿主とするコロナウイルスに新たな機能（ヒトへの感染力や毒性）をもたせる「機能獲得型研究」を武漢ウイルス研究所が進めることにたいして、総額七四〇万ドルの資金援助をおこない「共同研究」さえおこなってきたのである（二〇一四年）。新型コロナウイルスが遺伝子操作実験によって生みだされたことを露わにすれば、アメリカ帝国主義じしんのウイルス研究（＝生物兵器開発）の内実も暴露されるというジレンマをかかえているのが、トランプ政権なのだ。中国ネオ・スターリニスト官僚どもと同様にアメリカ帝国主義権力者も生物兵器開発に邁進しているのである。大統領選を目前にしたトランプは、ＡＢＣ兵器開発の悪行を人民の目から隠そうとしているのだ。

エイズやＯ１５７（生物兵器開発の遺伝子実験の副産物との疑惑がある）にさいなまれ、「遺伝子組み換え食物」に起因する疾病や奇形児の発生に直撃されてきたアメリカの労働者たちの多くは、コロナウイルス発生の背後に遺伝子操作があることを直覚している。アメリカ国民の三分の一が「コロナは遺伝子操作の産物」と考えているという（アメリカ国内での世論調査）。だからこそトランプは、いっさいのマスコミの口を封じ、また御用学者たちを総動員して「遺伝子操作説」の打ち消しに狂奔しているのだ（註３）。

中国権力者もアメリカ権力者も、遺伝子操作技術を駆使したワクチン開発を生物化学兵器開発にどしどしと活用していくために「コロナウイルス出現の秘密」を〝闇〟に葬ろうとしているのだ。

新型コロナウイルス・パンデミックのもたらしたアメリカ帝国主義の政治的・経済的没落、そしてオ

ーバーシュートに直撃されて戦闘能力を喪失した米空母群の無残な姿に端的な軍事的権威の失墜を目の当たりにした習近平政権は、改めて〝ウイルスの力〟＝生物細菌兵器が秘めている「威力」に瞠目したにちがいない。他方、パンデミックに直撃され対応不能のトランプ政権は、自国の「防疫」能力の脆弱・欠損＝国家安全保障の陥穽の露呈に地団駄を踏んで、その突破にいまや躍起となっているのだ。

彼らは生物化学兵器の開発にますます拍車をかけるにちがいない。われわれはこれを断じて許してはならない。

註1　「ＧＯＦ研究」には、遺伝子操作によるキメラウイルスの作製やウイルス遺伝子の特定部位を変異させる手法が含まれる。ちなみに「キメラ」とは、ギリシャ神話の怪物キマイラ（ライオンの頭・ヤギの胴・ヘビの尾）にちなんで、生物学用語としては、異なった遺伝子型（または種）の細胞から構成された生物個体のことを指す。

註2　いま知られているコロナウイルスは約四十種類といわれているが、人工的に変異させられたものを含めると数千種類にもおよぶと思われる。自然界でのコロナウイルスの起源は五五〇〇万年前にさかのぼり、鳥・豚・牛・馬・猫・ネズミ・コウモリなど人間の身近にいる動物に寄生してきた。そのなかで人間に感染する能力を獲得したものは七種類である。「そのような変異はしばしば起こる」などという御用学者の主張はなんの科学的根拠もない。そのうちの三種が二〇〇二年のＳＡＲＳウイルス、一二年のＭＥＲＳ（中東呼吸器症候群）ウイルスそして今回の「新型コロナウイルス」である。残りの四種は、風邪の原因となるコロナウイルスである。

註3　「変異は中間宿主の動物で起こった」なるなんの証明もなされてはいない仮説を「錦の御旗」のようにおしたてているのが、権力者どもであり、その御用学者たちである。センザンコウやハクビシンを中間宿主に仕立てあげて「これらの野生動物を食う中国人の食習慣こそが問題」だなどと吹聴するデマゴーグ。中国奥地の洞窟から何万体ものコウモリを捕獲しては武漢の実験施設に持ちこんでいた研究員たちの存在を熟知しているにもかかわらず、「コウモリと人間の距離が近づいたことが問題、その原因は自然破壊・森林破壊だ」などとエコロジストのふりをして問題のすり替えに手を貸しているのが御用学者たちである。

原発・核開発に拍車をかける菅政権

田辺敏男

首相・菅義偉は、二〇二〇年十月二十六日の「所信表明演説」において、「グリーン社会の実現」を前面にかかげ、これを実現する施策と称して「省エネルギー」「再生可能エネルギーの導入」とともに、「安全最優先で原子力政策を進める」と表明した。「二〇五〇年カーボンニュートラル」なるものを掲げて菅は、原発再稼働に拍車をかける宣言を発したのだ。

現にいま、菅政権に活を入れられた電力諸資本は原発再稼働に向けて一斉に動きだしている。またこの政権は、六ヶ所村核燃料諸施設の運用開始などの――核兵器用プルトニウムの生産技術の開発と表裏一体の――核燃料サイクル開発にも狂奔している。そして小型原発の開発・新設にのりだす肚も固めているのだ。

こうした菅政権・電力諸資本の蠢きは、まさしく〈第二、第三のフクシマ〉を招きよせる犯罪いがいの何ものでもない。

二〇一一年三月に惹き起こされたフクシマの核惨事は、いまもなお膨大な人民に災厄を押しつけつづけている。広範な地域が放射性物質で汚染され、五万人以上の福島県人民が避難を余儀なくされている。福島第一原子力発電所では一日四〇〇〇人の労働者が、被曝を強制されながら廃炉作業に従事している。菅政権・東京電力経営陣は、メルトダウンした原子炉を廃炉にする展望をまったくたてられないまま、いつ果てるともない危険な作業を労働者たちにつづけさせているのだ。

しかも漁民をはじめとした福島県人民の圧倒的な反対の声をふみにじって、福島第一原発に保管中のトリチウム汚染水の海洋放出を決定しようとしているのが菅政権なのだ。何が「福島の復興」だ。全魚種の出荷制限がようやく解除されたこのときに、大量の放射性物質を海にたれ流す犯罪行為を許すな。

廃炉に向けた取り組みがあたかも順調にすすんでいるかのようにキャンペーンしながら、福島原発事故を惹き起こした張本人たる東京電力が運営する柏崎刈羽原発や東北電力女川原発の再稼働を、菅政権はいよいよ開始しようとしている。絶対に許すことはできない。

わが革命的左翼は、原発・核開発に拍車をかける菅政権にたいして、断固たる反撃の闘いに決起するのでなければならない。

トリチウム汚染水の海洋放出へ突進

経済産業相・梶山弘志は、福島第一原発の敷地内のタンクに保管しているトリチウム汚染水の海洋放出にかんして、いったんはにおわせていた十月中の「決定」を見送ると表明した（十月二十三日）。すでに九月二十六日の福島第一原発視察の際に、菅は、「できるだけ早く責任をもって〔汚染水の〕処分方法を決めたい」と、海洋放出を決定する意志を鮮明にしていた。そして十月八日には、四月以降つづけてきた「意見聴取」の最後として、全国漁業協同組合連合会などから意見を聴き、こうしたアリバイ的儀式をもって放出を決定しようとしていたのであった。

けれども、わが革命的左翼を先頭とする労働者・人民の反対闘争の高揚と全漁連や福島県漁連の「絶対反対」の対応をまえにして、菅政権は「決定」の当面の延期を表明せざるをえなくなったのだ。しかし「いつまでも先送りできない」（菅）と「決定」の機会をうかがっているのが菅政権なのである。

菅政権・東電経営陣が強行しようとしているトリチウム汚染水の海洋放出は極めて反人民的な行為である。体内にとりこんだならばＤＮＡに損傷を与える危険性の高いトリチウム、これを大量に含んだ汚染水を、ただ海水で薄めるだけで今後三十年にわたって海にたれ流そうというのが、彼らのうちだしている計画である。彼らは、放出に反対する諸団体を丸めこむために、御用学者どもを使ってトリチウムの危険性を隠蔽する言説を流布させたうえで、もっぱら「風評被害」で水産物などが値くずれした場合に、これを「補償する」と提示している。こうした政府・東電経営陣にたいして、地元の反対派諸団体のみならず、全国の労働者・人民が怒りの声をあげているのである。

海洋放出について東電経営陣は、トリチウム汚染水を保管しているタンクを増設できないからだという。溶けた炉心から核燃料デブリを取り出すという廃炉に向けた重要な作業のスペースを確保する必要性があるからだというのだ。けれども、タンク増設の余地はまだあり、海洋放出以外の具体策も様ざまに提案されている。そもそも、現在一日平均一四〇トンの地下水が原子炉建屋に流れこんでいるとされ、これを止めることが汚染水の増加をくい止めるためには必要だといわれてきたのであるが、東電経営陣は資金難を口実としてこの作業に手をつけようとしてこなかったのであり、現在もそうなのである。つまり、増えつづける汚染水を処理する最も安あがりで手っ取り早い方法として、彼らは海洋放出を強行しようとしているのだ。まさしく独占資本家的階級性を貫徹した手法ではないか。

それだけではない。彼らが汚染水の海洋放出の口実としてもちだしている核燃料デブリの取り出しなるものは、廃炉に向けた作業が進展しているかのように装うためのキャンペーン以外の何ものでもない。その内実は、わずか数グラム〜数十グラムのカケラを採取するというものでしかない。

しかも核燃料デブリを取り出すために格納容器に大穴を開けるのは、閉じこめられている放射性物質を周辺にまき散らし、一連の作業に従事させられる労働者に大量の被曝を強制する犯罪行為なのである。

以上のように、トリチウム汚染水の海洋放出であれ、核燃料デブリ取り出しであれ、政府・東電経営陣がおしすすめている廃炉作業は、閉じこめられている放射性物質をわざわざ海洋や大気中に撒き散らすもの以外の何ものでもないのである。

BWR・老朽原発の再稼働の強行と小型炉開発・新設の策動

十一月十一日、宮城県知事・村井嘉浩は女川町長、石巻市長と三者会談を開き、女川原発2号機の再稼働への同意を表明した。菅政権の意を受けて三者は、東北電力が安全対策工事を終える二〇二二年度以降の再稼働を早ばやと容認したのである。

福島第一原発の原子炉と同型のBWR（沸騰水型原子炉）を使用している女川原発は、東日本大地震発生時にメルトダウン寸前の被害をこうむったのであった。地盤が一メートル沈下し海水がうちあげられて重油タンクが倒れた。2号機では海水ポンプの取水口から海水が原子炉建屋に流れこみ、非常用発電機三台のうち二台が停止した。原子炉建屋全体に一一三〇ヵ所ものヒビが入った。

このボロボロになった原発に、2号機の建設費用を上回る三四〇〇億円もの資金を投入して防潮堤のカサ上げなどの「安全対策」という名のつぎあてをほどこし、もって再稼働を強行しようとしているのが東北電力経営陣なのである。

また、柏崎刈羽原発の再稼働をめざしている東電経営陣は、十一月六日、原子力規制委員会の認可手続きがほぼ終了した7号機について、二一年四月までに核燃料を装填し六月には運転を開始できるというスケジュールを発表した。新潟県知事・花角英世は、県が設置している福島原発事故検証委員会の報告書が出そろうまでは再稼働の可否は判断しないと表明している。この花角にたいして東電経営陣は、再稼働への同意表明を急げと圧力をかけているのだ。菅政権の全面支援のもとに。

福島第一原発、第二原発の廃炉を余儀なくされた東電経営陣は、残された柏崎刈羽原発の6、7号機の再稼働をめざして、すでに一兆円を超える巨費を投入してきた。福島第一原発の事故処理にともなう経費を最大限に削り、被災人民の賠償請求を次々と蹴飛ばしながらである。世紀の核惨事から十年を経ようとしている今日、被災人民の苦悩はいつはてるともなく、廃炉の展望もまったくたっていない。この事故を惹き起こした張本人による原発再稼働を断じて許すな。

福島第一原発事故発生の翌一二年五月に日本の全原発が停止して以後、再稼働を強行したのは、関西電力・九州電力・四国電力のPWR（加圧水型炉）九基である（十一月七日現在、稼働中は玄海4号機のみ）。菅政権は、こうした状況を突破するために、電力諸資本にたいして運転開始から四十年を超えた老朽原発を再稼働させようと策している。関西電力経営陣は、来年早々から美浜3号機（運転開始から四十三年）、高浜1号機（同四十五年）、同2号機（同四十四年）を順次再稼働する計画をうちだしている。〔福井県高浜町議会は十一月六日、高浜1、2号機の再稼働を求める請願を賛成多数で採択した。〕

それだけではない。菅政権は、安倍前政権が支持率の低下を恐れて言及するのを避けてきた原発の新増設にいよいよのりだす肚を固めている。十一月四日の衆議院予算委員会において、新増設について問われた首相・菅は、「現時点において考えていない」と答弁した。これは〝近い将来に考える〟ということの言いかえにほかならない。現に経産相・梶山は「原子力が二〇五〇年〔現在運転中の原発の多くが運転開始から六十年を経て廃炉になっている時期〕においても選択肢として活用できるようにとりくむ」とアケスケに語った。これに歩調を合わせて経団連は十一月九日に発表した新たな「成長戦略」において、「二〇三〇年までに新型原子炉の建設に着手すべく、国家プロジェクトとして取り組みをすすめる必要がある」とうちだした。

菅政権と日本独占ブルジョアジーは、「安価」で「安全」で「小回りがきく」などと称して小型モジュール炉（SMR）をアメリカと共同で開発し、もって国家の全面支援のもとに建設していくという展望を描いているのだ。

核燃料サイクル諸施設の建設・稼働に着手

北海道の泊原発に近接する寿都町と神恵内村が、この十月に相次いで、高レベル放射性廃棄物の最終処分場の選定に向けた「文献調査」への「応募」ないし「受け入れ」を表明した。

この施設は、使用済み核燃料の再処理の過程で生じる高レベル放射性廃棄物をつめこんだ金属容器を、地下三〇〇メートル以深に埋めて数万年も「管理」するというものだ。地殻プレートがぶつかり合う境界に位置する日本列島は、巨大地震や火山の大爆発が頻発している。もしもこうした事態が施設近辺で発生するならば、容器が壊れ地表にむきだしになってあたり一帯を放射能まみれにする危険性が高い。

経産省とNUMO（原子力発電環境整備機構）は、過疎と財政難に苦しむ両自治体の首長や経済団体を、「文献調査」の二年間だけで二〇億円という交付金をエサにして抱きこみ、危険な核のゴミを押しつける第一歩をふみだしたのだ。

この高レベル放射性廃棄物を排出する六ヶ所村再処理施設について、原子力規制委は、この七月に新規制基準に「適合」しているとの判断をくだした。この再処理工場こそは、もしもフル稼働したならば、核兵器に転用することが可能なプルトニウムを年七トン生産する。すでに日本は、仏・英などで再処理したプルトニウムを四七・五トンも保有しているにもかかわらず。しかもこの工場は現在、福島第一原発敷地内のタンクに保管されている汚染水に含まれるトリチウム総量の十倍以上ものトリチウムを、一年間に放出するという極めて危険な代物なのである。

つづいて十月七日、原子力規制委は再処理工場に隣接する「MOX（プルトニウム・ウラン混合酸化物）燃料工場」にも「適合」判断をくだした。こうして菅政権は、再処理工場で取り出したMOX粉末を核燃料に加工し、軽水炉で燃やす（再稼働した原発のうちの四基）というプルサーマル方式の核燃料サイクルの技術的基盤が一応は形成されたかのように装っているのである。

だが、この軽水炉サイクル開発は、「夢の原子炉」と称された高速増殖炉を中核とする元来の核燃料サイクル開発の最後的破産ののりきり形態なのだ。ＭＯＸ燃料を使用する軽水炉の運転は、ウラン燃料を使用する通常の運転以上に、危険である。しかも電力資本家にとっても高コストなのである。にもかかわらず菅政権は、潜在的な核兵器製造能力の維持・強化のために日本独自の再処理技術を保持・強化しようとしている。また電力資本家どもは、使用済み核燃料や高レベル廃棄物の保管場として六ヶ所村の核施設を維持しつづけるために、核燃料サイクル開発をつづけようとしているのである。

原発・核開発反対闘争の高揚をかちとれ

菅政権は、原発の再稼働・新増設そして核燃料サイクル開発を一挙に強行しようとしている。日本国家の潜在的核兵器製造能力の維持・強化のために菅政権は、「平和利用」の名において原発再稼働・核燃料サイクル開発に拍車をかけているのである。アメリカと中国の政治的・軍事的対立が激化する東アジア情勢のもとで、日本帝国主義の菅政権は、核超大国への飛躍をめざして核戦力の強化に走る中国と核ミサイルの開発に血道をあげる北朝鮮に対峙し、アメリカとともに戦争をやれる軍事強国に日本をおしあげようとしているのである。

また菅政権は、国際的原発商戦における中国・ロシアへの敗勢をアメリカと共同して巻きかえすことをもたくらんでいる。福島第一原発事故以後、日本の原子力産業の生き残りをかけて原発輸出にうって出た日本帝国主義は、しかし東芝のアメリカからの撤退、日立製作所のイギリスからの撤退を余儀なくされ完全に破産した。

これにたいして中国は、パキスタンに原発を建設したことをはじめとして、日立が撤退したイギリス、ルーマニア、アルゼンチンなどの建設計画に参入している。ロシアもまたトルコで原発を建設中であり、エジプトやサウジアラビアへの輸出をたくらんでいる。

　こうした国際的な原子力商戦における敗北を強いられてきた日本政府・独占ブルジョアジーは、アメリカと共同開発をすすめているＳＭＲを武器にして巻きかえすことを策しているのである。

　フクシマの核惨事を惹き起こし甚大な被害をまねいたにもかかわらず、危険きわまりない原子力発電に、なおも電力独占資本家どもはしがみついている。放射性物質に汚染されているがゆえに巨額の費用が必要となる原発の廃炉を先送りにし、老朽原発を無理矢理再稼働させようとしているのだ。原発・核開発を国家戦略とする政府のもとで、労働者・人民から電気料金として収奪した潤沢な資金を原資とする原子力発電事業に群がってきたいわゆる「原子力村」――政・財・官・労・マスコミ・学の日本型ネオ・ファシズム支配体制を支える〈鉄の六角錐〉の一角をなすそれ――が、原発・核開発の加速にふみだした菅政権に動員されるとともに、みずからの利益獲得の機会を得て活性化しているのだ。

　いま菅政権が「脱炭素」の看板をかかげておしすすめている原発再稼働・核燃料サイクル開発の策動は、日本の軍事強国化の策動と一体であり、またこれらに必要な数兆円から数十兆円にのぼる資金はすべて労働者・人民から電気料金や税金として収奪することによってまかなわれるものにほかならない。

莫大な核廃棄物をうみだし、第二、第三の〝フクシマの核惨事〟をもたらしかねない原発再稼働・核燃料サイクル開発を断じて許すな！

原発再稼働反対！　トリチウム汚染水の海洋放出を阻止せよ！　すべての原発・核燃施設をただちに停止し廃棄せよ！

原発・核開発反対闘争を、反戦・憲法改悪阻止闘争や、学術会議会員の任命拒否弾劾などのネオ・ファシズム反動化阻止の闘いと同時的に推進し、もって菅ネオ・ファシスト政権打倒をめざしてたたかおう！

――本誌掲載の関連論文――

- 福島第一原発　トリチウム汚染水の海洋放出を阻止せよ　（第三〇九号）
- 六ヶ所村再処理工場　原子力規制委の「新規制基準」適合決定弾劾　（同）
- 東電福島第一原発2号機　核燃料デブリ取り出し計画の反人民性　栗本誠也（第三〇五号）
- 女川原発2号機再稼働を許すな　（同）
- 原発「共同事業化」にのりだす政府・電力独占体　道法寺卓（同）
- 東日本大地震で被災した老朽原発　東海第二原発の再稼働を許すな　田辺敏男（第三〇一号）
- 経団連「電力システム改革」提言の反人民性　田辺敏男（同）
- トリチウム汚染水の海洋放出を許すな　S・U（第二九八号）
- 東芝メルトダウンの深層　浦上深作（第二九二号）
- 危険きわまりない老朽原発の運転延長　道法寺卓（第二八九号）
- 「もんじゅ」廃炉―どんづまりの核燃料サイクル開発　浦上深作（第二八六号）
- 核燃料再処理事業の破綻　S・U（同）
- 伊方原発3号機を直ちに停止せよ　池上菊三郎（同）
- 福島原発「廃炉戦略」破産の隠蔽　S・U（同）
- 東日本大震災・福島原発事故五周年　原発・核開発反対闘争の高揚を　無署名（第二八三号）

高レベル核廃棄物処分場

寿都町・神恵内村による「文献調査」応募反対

わが同盟が札幌集会で反対の情宣　10・1

いま北海道では、政府・経済産業省、NUMO（ニューモ）（註1）が、高レベル放射性廃棄物の最終処分場の建設に向け攻勢を強めている。このかんの用意周到かつ悪らつな利益誘導によって、全国に先駆けて、泊原発近隣の寿都（すっつ）町および神恵内（かもえない）村が最終処分場建設のための「文献調査」（註2）の「応募」に名乗りをあげているのだ。

こうした緊迫した事態のなかで、わが同盟は、二〇二〇年十月一日、札幌市で開催された市民団体主催の講演会に参加する労働者、学生、市民にたいして情宣をくりひろげた。

夕刻の六時、会場の札幌エルプラザには、札幌市内はもちろん道内各地から労働者、学生、市民が続々と結集した。

「寿都、神恵内の『応募』に反対しましょう！」「高レベル放射性廃棄物最終処分場の建設に反対しましょう！」わが情宣隊の力強い呼びかけが会場周辺に響きわたる。「政府・経産省、NUMOによる高レベル放射性廃棄物最終処分場の建設反対！」と赤刷りされたビラが次々と手渡される。参加する中年の労働者は緊張した面立ちで手を伸ばし「頑張りましょう」と反対の意志を表明しがっちりとビラを手にした。また参加者の女性や勤め帰りの労働者もビラを見るなり「頑張ってください」とわが情宣隊にエールを送る。わが同盟は、経産省が一七年に公表した「地層処分に関する『科学的特性マップ』」において寿都町、神恵内村が「適地」と「認定」されていることのインチキ性を暴露するとともに、NUMOがふりまく「地層処分は安全」なるデマゴギーを暴きだした。こうして、参加者の熱い共感をかちとったのだ。

経産省・NUMOが莫大な交付金をエサに抱き込み

政府・経産省、NUMOは、原発から生みだされる使用済み核燃料を再処理して最終的に残る高レベル放射性廃棄物（いわゆる「核のゴミ」）の最終処分場建設がデッドロックに逢着している現状を突破するために、泊原発の近隣自治体のなかから、候補になる自治体を選定して「誘致」を強力に働きかけてきた。人口減少による税収不足に苦しむ寿都町（約二九〇〇人）、神恵内村（約八〇〇人）を標的にして、「文献調査」に応じるだけで二年間に二〇億円、という莫大な交付金を目の前にぶら下げて、町長や村長、あるいは商工会などに攻勢をかけたのだ。

寿都町ではこのかん、政府・経産省のバックアップのもと町議会議員をはじめ町の有力者による「学習会」が積みあげられ、「応募」の下地づくりが周到に準備されてきた。町長は「反対が過半数でも応募に踏みきる」とまで言い放ち、反対派町民の「子どもたちに核のゴミのない寿都を！」と呼びかける住民投票に向けた取り組みを無視して、十月八日に「賛成と反対がエスカレートすると本当の溝になる」と言って「応募」を表明した。十月九日に東京に出向いて経産相・梶山弘志に応募を伝えた。

また、神恵内村では、経産省・資源エネルギー庁が前面に立って九月下旬に連続して住民説明会をもち、これをもって村議会多数派は「議論は尽くした」と十月八日に「臨時村議会」を開き「応募」のための「請願」を決定したのだ。

最終処分場の候補に挙げられている寿都町や神恵内村には地下に活断層が存在する。地震があれば、この地下の処分場は破壊され、埋設される大量の高レベル放射性廃棄物は膨大な放射能を地上に拡散する。北海道はもとより北日本の大半は取り返しのつかない放射能汚染に晒されるのだ。それはかの東京電力福島第一原発事故をはるかにこえる大惨事に労働者・人民を叩きこむものなのだ。

首相・菅義偉は十月五日の記者会見で「放射性廃棄物の最終処分は必ず実現しなければならないエネルギー政策上の重要課題だ」と力説した。なにがなんでも高レベル放射性廃棄物の最終処分場を造ると並々ならぬ決意を述べたのだ。

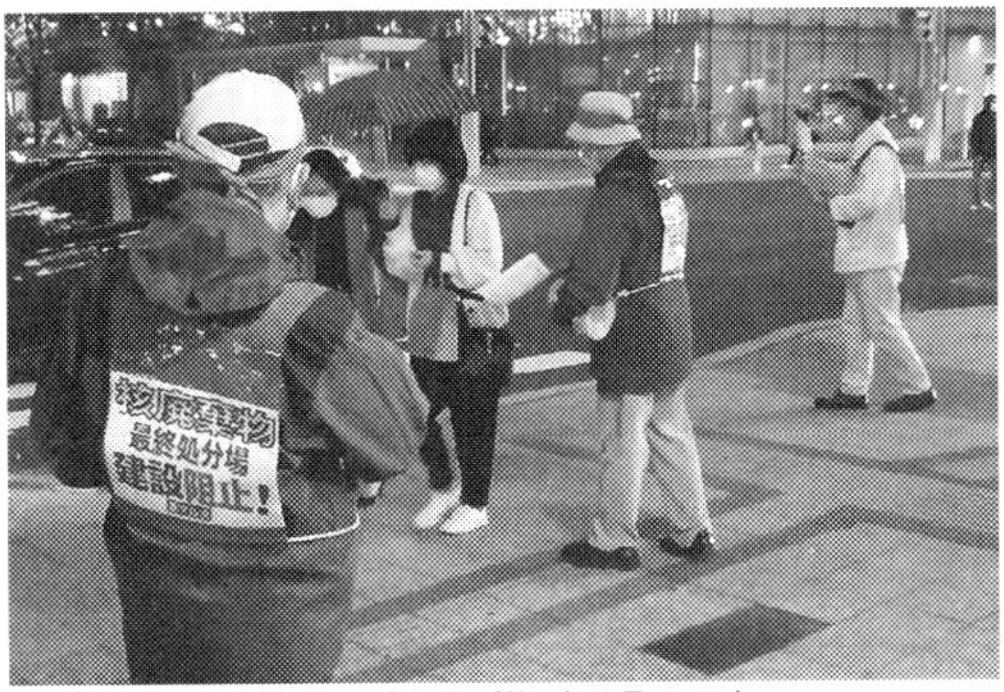

札幌市で労働者・市民に檄（10月１日）

政府・経済産業省は労働者・人民にいっさいの犠牲を転嫁して、高レベル放射性廃棄物の最終処分場の建設に狂奔している。こんなことが許せるか！

政府・経産省の高レベル放射性廃棄物の最終処分場の建設を許すな！　寿都町、神恵内村の「応募」を絶対に許すな！　日本の原発・核開発反対！

共にたたかわん！

註1　NUMO（原子力発電環境整備機構）

二〇〇〇年に、原発を持つ電力会社が共同出資し設立した経産省の認可法人。職員数は一五〇人。各電力会社からの出向職員がその半数を占める。処分地さがしから、建設、搬入、埋設までをおこなう。そのための費用の総額は三兆九〇〇〇億円といわれている。この資金のすべてが、電気料金に上乗せされて、徴収されている！

〇二年から処分候補地を公募。一七年に「科学的特性マップ」を公表して以降、全国一〇〇ヵ所以上の自治体で「説明会」をおこない、「原発で電気の恩恵を受けているのだから〝核のゴミ〟を受け入れるのは当然の義務だ」などとデマゴギーをふりまいている。

註2　「処分地決定までの三段階の調査」

政府・経産省は、①「文献調査」（歴史的文献等で過去の地震の有無を調査、二年程度）、②「概要調査」（ボーリングなどにより地下の岩石や地下水の性質を分析、四年程度）、③「精密調査」（地下深くに調査施設を設置して地質や岩盤などを調べる、十四年程度）を設定している。この各段階に応じて、「文献調査」に応募すれば、二年間で二〇億円、「概要調査」には四年間で七〇億円を交付するとしている。〔この巨額な交付金の原資は、〇五年施行の「使用済み燃料再処理等積立金法」にもとづいて、電力会社が労働者・人民の支払う電気料金に上乗せして強制的に徴収しているものの一部である。〕

六ヶ所村再処理工場

原子力規制委による「適合審査合格」の欺瞞

原子力規制委員会は、政府に尻をたたかれ、日本原燃の使用済み核燃料再処理工場（青森県六ヶ所村）の安全対策の「適合審査」の「合格」を決定した（二〇二〇年七月二十九日）。四月以降のコロナ感染蔓延による「非常事態宣言」のもと、原発などの安全審査も停止しているなかで、一般傍聴を排除しオンライン審査を強行し決定したのだ。

だが、規制委員会の作成した一〇〇〇ページにもおよぶ合格「審査書」は、地震や活断層、火山対策のみならず、再処理工場特有の事故対策などのすべてにわたって、でたらめである（本誌第三〇九号、『解放』第二六三六号三面参照）。「新規制基準」が施行（一三年十二月）される以前に建設されていた工場の基本設計を是とし、それに手を触れることを回避し部分的な修正をもって「適合審査合格」としているのである。

われわれは、「審査合格」の欺瞞性を断固として暴きだし、大事故の危険性をはらみ、原発以上の放射性物質をたれ流す再処理工場の稼働を阻止するためにたたかうのでなければならない。

いま政府・経済産業省は、「再処理工場」の稼働と符節を合わせて、北海道寿都（すっつ）町、神恵内（かもえない）村に高レベル放射性廃棄物最終処分場選定のための「文献調査」への「応募」を受け入れさせ、調査を開始しようとしている。この悪らつな策動にたいしても闘いの炎をぶちあげるのでなければならない。

戦闘機の工場施設への墜落事故の危険性を無視抹殺

規制委による審査「合格」の欺瞞性の一つが、戦闘機の六ヶ所施設への墜落・衝突事故の可能性・危険性を無視する手口を弄していることである。

六ヶ所村再処理工場は、在日米空軍・航空自衛隊三沢基地からわずか三〇キロメートルに位置している。戦闘機が頻繁に行き交う危険な場所に立地し、戦闘機による事故が相次いで発生しているエリアである。にもかかわらず規制委は航空機事故対策は「必要なし」と称して「合格」にしたのだ。

「落下確率」の恣意的引き下げ

「新規制基準」では、原発などの核施設に航空機が落下しても施設が破壊されない強度を保つことを義務づけている。各施設ごとの航空事情にかんがみ、航空機の一年間の「落下確率」を算出し、一〇〇〇万分の一を基準にしてそれ以下ならば防護対策は「必要なし」としている。「審査書」では「落下確率」をこの基準よりも一桁低い「一億分の三・六」と算出し「防護対策は不要」と強弁しているのだ。

その手口はこうだ。①米軍当局、空自当局が、「再処理工場上空を飛行禁止区域」にしているということをもって、戦闘機が工場上空を飛行することはないとみなす。②再処理工場の建設着工時（一九九三年）に、F16戦闘機が墜落しても破壊されないような設計・防護対策がされているなどと言い

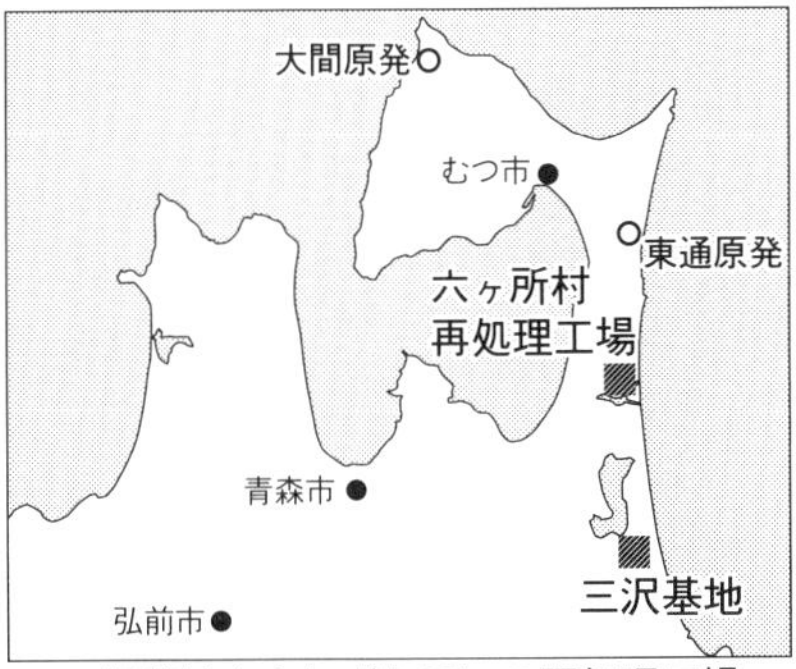

三沢基地からわずか30kmの再処理工場

なして、現在の「落下確率」に「一〇分の一の係数を乗じてよい」(一桁引き下げ)とする。まさにインチキそのものではないか。「対策不要」の結論を導きだすために意図的に「落下確率」を引き下げたのは明らかである。

じっさい、「飛行禁止」とされているはずの米軍機・自衛隊機は工場上空を頻繁に飛行し、日常的に訓練やスクランブルをくりかえしている。現に空自のF35A戦闘機の墜落事故をはじめ、事故やトラブルが多発しているではないか!(註)

二十七年前の「基準」のあてはめ

それだけではない。F16戦闘機の墜落に耐えられるなどと言いなしておこなわれている防護対策は、現在の航空事情ではなんの役にもたたないことは明白なのだ。当時の「基準」は、「機体重量二〇トンのF16戦闘機が秒速一五〇メートルの速度で衝突した場合」とされ、「これ以上の速度での衝突」は「故意」によるものとみなし「除く」(原燃)とされているのだ。秒速一五〇メートル(最良滑空速度)とはエンジンの推力がない状態での速度であって、F16の通常の飛行速度での衝突は、あらかじめないものとされているわけだ。コンピュータによる解析では、F16が秒速一八七・五メートル超の速度で衝突した場合は、再処理工場施設は確実に破壊されるという。ちなみに、F16の最高速度は、マッハ2=秒速六八〇メートルである。

現在、空自三沢基地には機体重量三〇トン、音速(秒速三四〇メートル)を超える速度で巡航するF35Aが十七機配備されている。F35Aの重量はF16の一・五倍であり、F35Aの衝突なら確実に破壊されるのだ。

さらに許しがたいのは、審査過程において、旧科学技術庁が原燃にたいして「当初想定した戦闘機が退役し新たな戦闘機が配備された場合に墜落の影響をしっかり検証」するという報告書を提出(一九九六年)させていたことが審査過程で明らかになったにもかかわらず、規制委が「しらんぷり」をきめこんだことだ。「航空機事故対策」については、〝あえて問題をほじくりかえさずに〟のりきろうとしたにちがいない。

まさにそのときに、Ｆ35Ａの墜落事故（二〇一九年四月九日）が発生した。パイロットが「空間識失調」で方向感覚を失い、秒速一五〇メートルをはるかに超える三〇五メートルで海面に激突したのだ。万一、Ｆ35Ａが稼働している再処理工場を直撃したならば、福島原発事故を上回る核惨事を招来する危険性が高いことは明らかである。この墜落事故後（九月二十四日）にもたれた六ヶ所村再処理工場の審査会合では、「航空機事故対策」を議題にしていたにもかかわらず、規制委はいっさい口をぬぐって沈黙した（そして実質上決定していた適合審査合格を一時棚上げにした）。一年後の今日、合格決定にさいしてこれを問われた委員長・更田豊志は「〔新規制基準は〕すべての航空機の落下にたいして工学設計として対処せよということではない」と居直り、「青天井〔の安全性〕をもとめているわけではない」とぬけぬけと語ったのだ（二〇年五月十二日の記者会見）。規制委員会の欺瞞を怒りを込めて弾劾せよ。

使用済み核燃料再処理工場（青森県六ヶ所村）

技術上の欠損に蓋をして稼働に突進する政府・原燃

いま、政府と原燃当局はこの「合格決定」を区切りにして、これまで停止していた六ヶ所村再処理工場の稼働にむけて――再処理工程そのものの機器や設備の完成をめざして――動きだしている。だが原燃当局は、審査合格後の八月二十一日に早くも再処理工場の完成時期の延期に追いこまれた（二十五回目！）。再処理工程における様ざまな技術開発の立ち後れと技術上の欠損を露わにしているのだ。

破綻したガラス溶融炉開発の弥縫

原燃当局は、使用済み核燃料を裁断し化学処理してウランとプルトニウムをとりだした後に残る高レベルの放射性廃液の爆発を防ぐためにガラス固化体に加工する工程で、大破綻をきたした(〇八年)。ガラス溶融炉の国の最終試験で本物の放射性廃液を使用した「アクティブ試験」がおこなわれた。日本が独自開発したガラス溶融炉を使用した試験であった。この工程は、溶融炉のなかで放射性廃液にガラスを混ぜ合わせ溶融させたうえで専用容器（キャニスター）に流しこみ、詰めるという工程である。しかし、この最終試験で溶融炉内に生じた白金族という金属類が溶融を妨げ、漏斗状の炉から下に流しこんでキャニスターにおさめることができなかったのである。

こうして、国産溶融炉の致命的欠陥に逢着しただけではなく、溶融炉そのものを破壊してしまったのだ。この国産溶融炉は、東海村再処理工場で開発したガラス溶融炉をそれ自身の実験成果も確認しないままに効率化のために単純に四倍化した、という代物だったのだ。当然にも、わずか一本の固化体をつくっただけで大破綻を遂げたのである。

以来十年余にわたって、政府・原燃当局は、あくまでも国産技術の開発に固執し、膨大な国家予算と国内原子力関係機関などを総動員した「オールジャパン体制」(「原燃ホームページ」)で国産溶融炉開発のいきづまりの打開を追求してきた。しかし、それは、ことごとく弥縫策でしかない。①溶融炉の底部を四角錐から円錐にする。②炉の傾斜角度を四五度から六〇度に変える。③溶融のための温度調節を十全におこなうために、溶融炉の運転時間を長くとる。④溶融炉内を洗浄するために洗浄液とガラスをまぜあわせ固化体をつくる工程を大幅に増やす（そのぶん余分なガラス固化体が増える)。

これらの弥縫策をもって原燃当局は「新型ガラス溶融炉を開発」(「原燃ホームページ」)したなどとおしだしているのだ。しかし、国産溶融炉の構造的欠陥が打開されたわけではない。

再処理にあたって、「保管プール」からとりだされた使用済み燃料棒を、ウランとプルトニウムをとりだすために切断し（三〜四センチメートル程度）硝酸液で溶かす。この過程で、使用済み燃料に閉じこめられていた大量の放射性物質が気体となって放出される（原発の一八〇倍）。同時に可燃性ガスも発生するので、これに放射性物質が接触するならば、火災や爆発事故、臨界事故を惹き起こす危険性がきわめて高いのだ。だからして、放射性廃液をガラス固化して閉じこめることができなければ、「再処理工程」は完結しないというわけだ。

「再処理工場の成功の鍵」などとされるこうしたガラス固化の技術の開発において日本は暗礁にのりあげている。当初三年の完成予定が二十七年たっても完成できないでいるのだ。にもかかわらず、技術上の欠損に蓋をしたまま、いま稼働試験にのりだそうとしているのが政府・原燃当局なのである。

再処理工場の本格稼働を阻止せよ

菅政権は、核の「平和利用」＝プルサーマルの推進を看板にしながら、潜在的核兵器製造能力を確保するという国家戦略にもとづいて、あくまでも自前の再処理技術を獲得・保持することを追求しているのだ。

「日米原子力協定」延長（一八年七月）のさいに日本政府は、核爆弾の原料となるプルトニウムを大量に保有することを警戒するアメリカ権力者から「保有するプルトニウムは発電のために使用する」ことを改めて確認させられた。

東アジアにおける米中対立の激化という情勢のただなかで、菅政権は、「安全保障環境の厳しさ」をわめきつつ、日本国軍が米軍とともに「敵基地」（中国・北朝鮮）に先制攻撃を仕掛ける軍事体制を構築することにのりだしている。核戦力の大増強に突き進んでいる中国、および核ミサイル開発を続ける北朝鮮と対峙する日本国家にとって、潜在的核兵器製造能力の維持・強化が不可欠と考えているのが、菅政権なのである。だからこそこの政権は、六ヶ所村再処理工場の本格稼働を急いでいるのだ。この策動を、われわれは絶対に許してはならない。＜原発・核開発阻止＞の旗を掲げてたたかおう！

註 二〇一九年十一月には、米軍F16が六ヶ所村の牧草地にコンクリートが詰まった二二六キロの模擬弾を誤発射した。翌日に米軍が一日中掘削しても見つからないほど激しく衝突。一八年二月には、米軍F16が機体トラブルで燃料タンクを工場近くの小川原湖に投棄、漁業が大打撃をうけた。

弘前耕三

川内原発1、2号機

再稼働に向け「特重施設」工事に狂奔する九電

九州電力は、川内原発1、2号機を、現在いずれも「特定重大事故等対処施設」(「テロ対策施設」とも呼ばれる。以下「特重施設」)が未完成であるがゆえに、その建設工事を終えるまで運転停止している。九電は、この「特重施設」を連日二十四時間の突貫工事で「完成」させ、1号機を二〇二〇年十二月末に、2号機を二一年一月中に再稼働させることを目指している。この再稼働をわれわれは断じて許してはならない。

一九年四月に原子力規制委員会は、「特重施設の設置猶予期間の延長を認めない」「設置期限までにそれが完成しない原発については運転停止を命ずる」と発表した。この「停止命令」を目前にして、九電経営陣は、「特重施設」のそれぞれの設置期限(1号機は二〇年三月十七日、2号機は同年五月二十一日)の前日に、両方とも「定期検査」入りを大幅に前倒しにして、運転を停止させた。彼らは、この定期検査中に「特重施設」を完成させ、もって再稼働を強行しようとしているのである。原発「対テロ施設」建設を国内最初になしとげ、これをもって老朽化する川内原発を四十年を超えて運転させようとたくらんでいるのが九電経営陣なのだ。

原発・核開発をなおも推進する自民党政権に支えられて、九電が遮二無二進める川内原発の再稼働に断固として反対しよう。

緊急時に機能しない〝バックアップ用制御室〟

九電が建設を急ぐ「特重施設」は、「故意の大型航空機による衝突」や「テロリズム」によって既存の原子炉や中央制御室が機能停止に陥った場合の「バックアップ」のための施設だとされている。これは、「緊急時制御室」を中心に「専用の注水設備」「専用発電機」「減圧操作設備」「第二フィルタ付ベント設備」「(中央制御室及び緊急時対策所との)通信連絡設備」からなる。すなわち、原発プラントが破壊されるような事態に直面し中央制御室も使用不能となった場合の、原子炉の減圧・冷却・爆発回避に限定した〝第二制御室〟の役割を果たすとされているものだ。

「特重施設」の設置は、東京電力・福島第一原発事故発生から二年後の一三年に、新しい規制基準のなかに義務づけられた。もともとは、自国の原発への攻撃を恐れたアメリカ政府が、「テロ対策」と称して新たに国内の基準に盛りこんだものだ。当時(一三年)の安倍政権は、このアメリカの対策を、十年遅れで日本の原発設置基準にとりいれた。原子力規制委は「甚大な事故の際にも活用する」としている。

だが、福島第一原発事故をみれば、壊れた原子炉のメルトダウンや放射性物質拡散を注水やベントだけで止められないことは歴然としている。この「緊急時制御室」の限定された機能では何もできはしない。〝机上の空論〟なのだ。

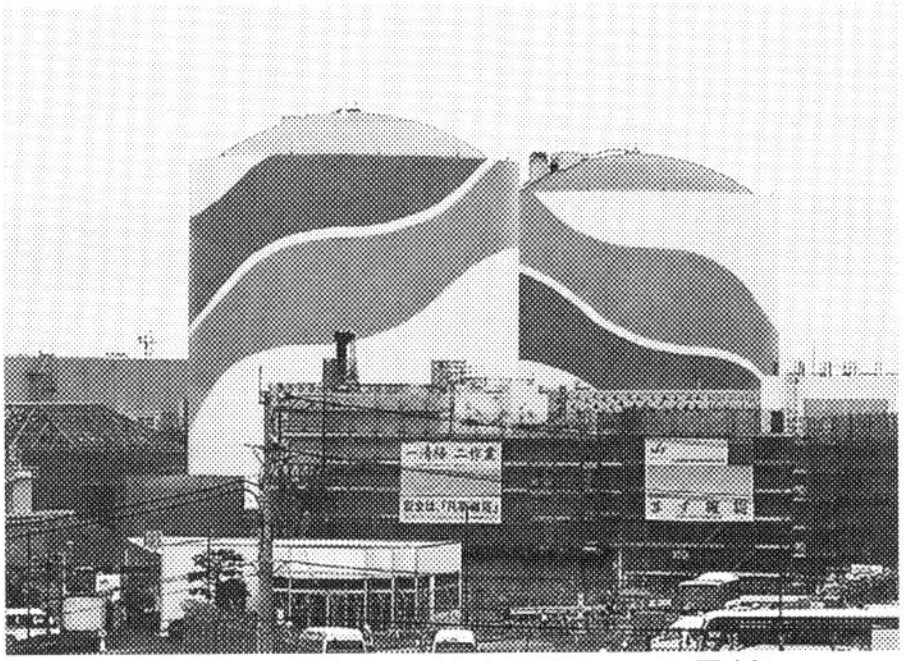
「特重施設」建設中の川内原発1、2号機

九電経営陣は、川

内原発で「特重施設」建設に一基あたり一二〇〇億円以上もの資金を投入している（その原資は人民から収奪した電気料金だ！）。山を切り開き・トンネルを掘るという大規模工事を、三～四ヵ月も工期をむりやり短縮させて強行している。こうした〝ひずみ〟のゆえに労災事故が生起するのは必至だ。

そもそも川内原発では「事故対策の要」と称する「緊急時対策所」（免震をやめて耐震に変更した）さえ完成していない。狭い代替施設で規制委も認可を与えている。何が「安全対策」だ！

「耐用年数」越えの運転延長反対！

九電が莫大な資金をつぎこんでまで「特重施設」建設に血眼となるのは、彼らが「耐用年数四十年」に近づいている川内原発二基をその先まで延長して運転させようとたくらんでいるからだ。1号機は二四年七月に、2号機は二五年十一月に「四十年の運転期限」をむかえる。つまり、あと三～五年余の寿命だ。

現に老朽化は進んでいる。二〇年七月、1号機の点検中に曲がった制御棒が見つかった。九電は「軽微な事象」「安全性に影響なし」と強弁するが、目視で見つかるほどの曲がりであり原因も不明なのだ。

ところが九電経営陣は、原子力規制委が認めれば「最長二十年延長」が可能とされていることをにらんで、この老朽原発で新規制基準を早期にクリアし、次の「運転延長」の申請に突き進もうとしているのだ。

東電・福島第一原発事故後、全国で最初に再稼働（一五年八月に川内原発1号機）を果たした九電経営陣は、「原発推進のトップランナー」の自負に燃えている。電気事業連合会の会長に東電・中部電力・関西電力以外から初めて就任（二〇年三月）した九電社長・池辺和弘は、「二酸化炭素を出さない原子力は、長い目で見れば地球温暖化対策だ」「原子力への理解は進む」とあたかも環境対策でもあるかのようにうそぶいた。九電経営陣は、東電が福島の事故対策を抱え、関電が原発をめぐる〝不祥事〟を抱えるなかで、日本政府・独占ブルジョアジーの利害を背負って、原発を中軸にした経営方針を貫こうとしているのである。

＜軍事大国日本＞のエネルギー基盤の確立のために原子力発電を「重要なベースロード電源」と位置づけるとともに、潜在的な核兵器保有能力の保持という目論見にもとづいて、原発再稼働と核燃料サイクル開発をおしすすめてきた安倍政権。これを「継承する」と称している菅政権に支えられ、いま九電は原発再稼働のための「特重施設」工事に邁進している。

われわれは決意も新たに川内原発の再稼働に反対しよう。全国の原発再稼働を許すな。六ヶ所村再処理施設の稼働阻止。既成指導部の「エネルギー政策転換」要求運動をのりこえ、＜すべての原発・核燃施設を廃棄せよ＞の声を広げよう。日本の原発・核開発をうち砕くために奮闘しよう。

（二〇二〇年九月十八日）

＜追記＞

十月一日に九州電力は、「特重施設」建設工事の工期をさらに短縮し、二基とも再稼働を一ヵ月前倒しにすることを発表した（1号機は十一月二十六日に、2号機は十二月二十六日に再稼働予定日を変更）。驚くべきことに、九電は二十四時間体制の突貫工事をさらにスピードアップさせ、工期を極限的に短縮したというのだ。この極端な工期短縮は手抜き工事をうみ施工不良を招くにちがいない。まさに、認可を得るためだけのアリバイ的な施設工事だ！

しかも、九電は、代替の火力発電の燃料費など「約四〇億円の費用を圧縮する」とコストカットを押しだしている。「資本の生産性向上にかなう限りでの『安全対策』」（浦上深作・白嶺聖編著『ノーモア・フクシマ』KK書房刊、三四頁）というわれわれの暴露のとおりだ。断じて許すな！

（二〇二〇年十一月九日）

K・I

代々木官僚の政権ありつきパラノイア

猿田直彦

二〇二〇年十月六日の日本共産党幹部会において不破＝志位指導部は、「次の総選挙で政権交代を実現し、野党連合政権を樹立する」という「党としての目標」なるものをうちだした（第一決議）。

早く政権にありつきたい、閣僚に入りたいという願望を病的なまでにつのらせた彼らは、衆議院解散・総選挙が一年以内に迫っているなかで、最大野党の立憲民主党から「日本共産党を含む野党連合政権」の樹立をめざすことへの合意を一刻も早くひきだすことに躍起になっている。そのために、「保守本流」を標榜する立民・枝野執行部が掲げる諸政策を「連合政権の政策」として丸呑みする腹であることをなりふりかまわず売りこんでいるのだ。

ときあたかも菅政権が、軍事研究に与することを拒否してきた日本学術会議を人事と予算をふりかざして恫喝し・政府翼賛団体に再編しようとしていることをはじめとして、〈鉄の六角錐〉を柱とする日本型ネオ・ファシズム支配体制を飛躍的に強化する攻撃に狂奔している。同時に、日本国軍が米軍とともに敵国に先制攻撃をしかける軍事体制の構築＝日米の対中国攻守同盟の強化に突進している。この一大反動攻撃を粉砕する闘いの奔流をまきおこすべき今このときに、不破＝志位指導部は、あろうことか「野党連合政権では日本有事の場合は安保条約第五条で対応する」などと吹聴してまわっているのだ。

こうした対応は、「日本へのミサイル攻撃を防ぐため」という日米共同の敵基地先制攻撃を正当化する菅政権・自民党の宣伝に唱和する以外のなにものでもない。まさしく反戦反安保をたたかう労働者・学生・人民にたいする裏切り！　立民が掲げる「健全な日米同盟を軸とする安全保障政策」なるものへの政策的すりあわせにいそしんでいる代々木官僚の犯罪性が、ここに露出しているではないか。

わが同盟は、日共第二十八回党大会（二〇年一月）における綱領改定にたいして間髪入れずに暴露した――「発達した資本主義の成果」の「継承・発展」による「社会変革」が「社会主義・共産主義の大道」なのだという日共の新「命題」こそ、国家独占資本主義に跪拝する真正修正資本主義路線の完成＝＜アンチ革命＞の紋章にほかならない。保守諸勢力との「共闘」を自己目的化しているこの党は、日本型ネオ・ファシズム支配体制を下支えする組織に転落しきったのだ、と。このプロレタリア階級闘争の敵対者・転向スターリニスト党の本性の露出こそが、不破＝志位指導部の〝政権ありつきパラノイア〟なのである。

「次の総選挙で野党連合政権をつくる」などと吹聴し保守野党・保守層に抱きつく不破＝志位指導部を徹底的に弾劾せよ！

「政権交代」の名で立民主導政権樹立への貢献を誓約

首相指名選挙で立憲民主党代表・枝野幸男に日共議員がこぞって投票し、枝野が衆議院で一三四票を得た（九月の臨時国会）ことをもって、代々木官僚は「プラス一〇〇議席あれば政権交代が可能」などと息巻いている。ここに端的に示されているように、彼らがうちだした「総選挙の目標」＝「政権交代」とは、他の野党（立民）の代表を首相に就かせるのに必要な議席数を野党全体で獲得するということでしかない。

旧・国民民主党の半分以上を吸収し衆参両議院の国会議員が一五〇名となった新・立憲民主党の枝野執行部が、次期総選挙で日共との「選挙協力」をおこなう意志を示しているのは、日共支持票をさらい・日共活動家を立民候補者の選挙運動員として動員するためなのであって、彼らは日共と連合政権を組むことなどさらさら考えていない。ところが代々木官僚は、「次の総選挙で必ずオール野党で政権を取る」と公言する小沢一郎にのせられ・もう少しで立民から「政権合意」をひきだせると信じこまされている。このゆえに、「政策的一致」をつくるという名で日共の基本的代案（とりわけ立民が日共と政権を共にできない理由としてやり玉にあげている安保政策）を立民の綱領に合わせてますます右翼的に緻密化しているのだ。

保守野党に媚売りし反戦反安保の闘いに敵対する不破＝志位指導部を弾劾せよ

大衆運動を野党の「連合政権合意」尻押しへ歪曲

「次の総選挙で野党連合政権を樹立する」という目標を実現するために、不破＝志位指導部は、党内にむかっては「総選挙勝利・躍進の保障」として「党勢拡大の前進」をかちとれと号令をかけるとともに（左頁の〔補〕参照）、大衆運動場面では「政権交代と連合政権の実現を求める、草の根からの世論と運動をつくりだしていく」という方針をうちだした。

この方針たるや、労働者・学生・人民の大衆的闘いを、日共を含む「連合政権」をつくるという「政治的合意」を他の野党にうながす圧力手段に収れんするものにほかならない。しかも「全労連の存在と活動は、『市民と野党の共闘』の前進を支える『敷布団中の敷布団』」（日共の党委員長・志位和夫の「全労連」大会来賓あいさつ）などとほざいているのが代々木官僚なのであって、この徒輩は労働運動を市民運動に従属させ、労組を「野党共闘」を尻押しし票を集める下働き部隊としてひきまわそうとしているのだ。

こうした「連合政権の実現を求める運動」方針は、菅政権のネオ・ファシズム的反動諸攻撃に抗する労働組合や学生自治会の団結の強化を阻害する以外のなにものでもないのである。

このかんの大衆集会での日共議員どもの発言を見よ。9・19国会前行動において首相指名選挙で立民

〔補〕官僚主義的シンボル操作

「次の総選挙で政権奪取を実現する」という「決意」は「野党連合政権に道を開く」ことを謳った二〇二〇年一月の第二十八回党大会決定から「さらに踏みこんだ」ものであり、「党の九十八年の歴史で、初めて」掲げる目標だというように、委員長・志位は党内にむかっておしだしている（十月七日、全国都道府県委員長会議）。

党大会後の代々木共産党は、大会にむけてとりくんだ「党勢拡大大運動」が党員減少で終わり・大会後にさらに大幅に後退するという衰滅状況を呈している。この党存亡の危機をのりきるために代々木官僚は、「大運動」（一九年九月～二〇年一月）に続けて「特別月間」（六月～九月）だの『月間』終了後の十月が重要」だのと下部党員に「党勢拡大」（党員と『しんぶん赤旗』読者の拡大）の〝臨戦態勢〟を強制しつづけてきた。だが、大会後の減少分をようやく九月に回復したことを「重要な成果」をあげたと自賛したのも束の間、十月には「大幅に後退」し「残念」などと悲鳴をあげている始末なのだ。

総選挙がさし迫っているにもかかわらず党勢がいっこうに前進しないことへの焦りをつのらせた不破＝志位指導部は、〝笛吹けど踊らぬ〟下部党員をなんとか日共の党勢拡大と「野党統一候補」への集票をはかる活動に突き動かすために、「歴史的挑戦」＝「次の総選挙で政権交代」という新たなシンボルをうちだし・とにかく「やるべきことをやりきれ」などと号令のオクターブを最大限に上げているのだ。

こうした官僚主義的な党員操作に不破＝志位指導部が狂奔すればするほど、日共党組織の瓦解が加速することは明らかである。

・枝野に投票したことを自己宣伝し「いよいよ政権交代にアタック」などと吹聴した志位を筆頭にして、辺野古をはじめとする各地の基地強化に反対する諸集会に参加した日共議員たちはひたすら「総選挙で野党連合政権を」と連呼している。「野党の政権合意」尻押しと日共の票田開拓の場へのねじ曲げをこととしているのだ。しかも下部党員・活動家にたいして、他党の議員が参加する大衆集会の場で「反安保」を掲げることをいっさい禁じる〝言論統制〟をしいているのが代々木中央官僚なのである。

安保条約第五条＝日米共同作戦を肯定する大犯罪

「日本共産党も含めた野党連合政権をつくる」という「政治的合意」をむすぶことを立民執行部に受け入れてもらうために、代々木官僚は「政策的一致点を発展させる」と称してみずからの基本的代案を立民の基本政策──「新自由主義からの転換」や「健全な日米同盟を軸にした安保・外交政策」など──にすりあわせるかたちで緻密化することにいそしんでいる。

ここでは、とりわけ安保政策において代々木官僚が、「連合政権の政策」としては安保条約の是認にとどまらず「日本有事には第五条で対応する」ことをこれまで以上に積極的に前面におしだしていること、この問題にかぎって論じる。

「政権を取る選挙」を一緒にやりたいのなら安保と自衛隊の問題で「国民（＝保守層）のみなさんの不安を払拭」するように「もうひと山……腹をくくって越えませんか」──このように立民執行部から代々木官僚は「党としての決断」を迫られている（『前衛』二〇二〇年九月号の日共国対委員長・穀田恵二、立民国対委員長・安住淳、国民民主国対委員長・原口一博の鼎談）。要するに「党としての基本政策」を転換せよと突きつけられているのだが、「反安保」の放棄を弾劾するわが革マル派のイデオロギー闘争に感化された日共党員たちの反逆・離反を恐れているがゆえに、代々木官僚は日共綱領に残されている「安保廃棄・自衛隊解消」の文言を公然と否定するわけにはいかない。さりとて「政権合意」を立民に受け入れてもらうためには「もうひと山越える」意志を示さなければならない。……こうしたジレンマに不破＝志位指導部はおちいっている。

彼らは「政策的一致」をはかっていく「決断」を立民執行部にたいしておしだすために、――「党として」は綱領にある「安保廃棄」の文言は「変えない」とささやき下部党員をモンピーしながら――「連合政権の政策」としては立民が掲げる「健全な日米同盟を軸とする安保政策」を「一致点」として全面的に受け入れる腹であることを必死にアピールしているのだ。「もうひと山越えろ」という立民執行部に呼応して「山登りでいえば、いよいよアタックだ」(志位)などと〝決意表明〟してみせる、というように。現に、政権与党になったら「尖閣の問題」などで「日本が有事という事態になった場合は、安保条約第五条で対応する」、すなわち「米軍出動」を積極的に「求める」、などと声高に・くりかえし強調しているのが志位なのである(九月二十三日、BS日テレ番組でのインタビューなど)。

「安保条約の建前」への拝跪

アメリカを追い抜き二十一世紀世界の覇権を握らんとしているネオ・スターリン主義中国と、これをなんとしても封じこめようとしている没落軍国主義帝国アメリカが激突している〈米中冷戦〉下で、日本帝国主義は「アメリカの属国」として対中国攻守同盟＝日米新軍事同盟の飛躍的強化に突進している。「日本へのミサイル攻撃の抑止」を名分として日本国軍が米軍とともに敵基地を先制攻撃する軍事体制を構築する攻撃を労働者・学生の頭上にうちおろしているのが菅政権なのだ。東アジアにおいて戦争勃発の危機が高まっているこの重大な局面において、平和運動の指導部を自任する者が「日本有事」への対処の名で日米共同作戦をみずから「求める」と公言するとは、度しがたい犯罪ではないか。

「野党連合政権では、安保法制の前の条約と法制で対応する」と志位はおしだす。こうした言辞は、「憲法の枠内での周辺事態法の強化」を主張する立憲民主党の基本政策にすりあわせたものにほかならない。代々木官僚は、一五年に改定される前の「日米防衛協力のための指針（ガイドライン）」と「ガイドライン関連法（周辺事態法）」を、「アジア・太平洋地域で『周辺事態』への対応として米軍が干渉や介入の戦争をはじめたら、日本がその戦争に参戦するというもの」(第二十二回党大会決議)と一応は非難してきた。だがいまや、彼ら自身が「戦争立法」と呼んできたこの法制を全面的に肯定し・その活用を提言するにいたったのだ。これこそ「日本周辺有事」の名でアメリカ主導の戦争に日本が参戦することの是認いがいの何ものでもない。

これほどまでに日米共同作戦体制の必要性を謳い・現存の日米軍事同盟を肯定するならば、文字通りの対中攻守同盟として安保同盟を強化する攻撃を粉砕する主体的力を創造することなど決してできるはずがないのである。

「敵基地攻撃能力」にかんして代々木官僚は、「安保法制による集団的自衛権の発動」となることが「恐ろしい」とか「『専守防衛』を完全に投げ捨てるもの」とかと言う。こうした非難の内実は、「日本に対する攻撃」がないのに自衛隊が海外で武力行使することには反対する、すなわち「日本の防衛」とは関係がないから反対する、ということでしかないのだ。「日本防衛」という「安保条約の建前」なるものを安保政策の正否のイデオロギー的基準とするかぎり、中国や北朝鮮の「ミサイルの脅威」にたいする「抑止力」と称して先制攻撃体制の構築を正当化する日本帝国主義権力者の宣伝の虚偽性を暴きだすことはできないのである。

「安保廃棄」の完全廃棄

ちなみに、代々木官僚じしんが「安保条約第五条の本質は、米国の『対日防衛義務』ではなく……米軍とともに『戦争する国』づくりの深化にある」と主張してきたのであった(たとえば『しんぶん赤旗』二〇年一月二十日付「シリーズ安保改定六〇年」第一部④)。日共が政権与党に加われるとなればこうした主張すら死んだ犬のごとくうち捨てて、第五条の「建前」(日本防衛)を全面的に美化するのは、あまりにもご都合主義ではないか。いや、「本質」などと言っても、じつのところは〝安保条約の建前どおりの運用〟を基準として、自民党政府の安保条約および地位協定の運用が「アメリカ言いなり」だと非難しているにすぎないのが代々木官僚なのだ。

そもそも、たとえ代々木官僚が「党として」はなお「安保廃棄」を口にしているとしても、その内実は――わが同盟がつとに暴露してきたように――「対等平等の日米友好条約への転換」すなわち日米安保同盟を〝NATO並みの「対等平等」の軍事同盟〟に改良することでしかないのである。日本帝国主義の存立の根幹をなす日米両国家間の帝国主義軍事同盟という階級的本質を没却して〝安保の改良〟が可能であるかのように主張していることに、不破＝志位指導部の理念のブルジョア化が露わとなっているのだ。代々木官僚の「党として」の安保政策につらぬかれているイデオロギー的基準じたいが、「健全な日米同盟を軸に」すべきと謳う保守党・立民のそれとなんら隔たりはないのである。

〔代々木官僚が「連合政権」に入ったならば自衛隊を「合憲」とみなすと公言していること、彼ら自身がかつての自民党政府が掲げてきた「専守防衛」を理念化していることの問題は、本稿では割愛する。〕

右に見てきたような、日共・不破＝志位指導部が骨の髄まで冒されている〝今すぐ政権にありつきたい病〟と、それを根拠とした反戦反安保を意志する労働者・学生・人民にたいする大裏切り――ここに転向スターリニスト官僚の反プロレタリア性が鮮明に露わになっているではないか。

心ある日共党員諸君よ、反労働者性をむきだしにしている不破＝志位指導部から今こそ決裂し、わが反スターリン主義革命的左翼の戦列に結集しようではないか！　革命的・戦闘的な労働者・学生の諸君！　菅ネオ・ファシズム政権の反動攻撃に抗する大衆的闘いを創造するただなかで、アンチ革命の転向スターリニスト党を革命的に解体するイデオロギー的＝組織的闘いを縦横無尽にくりひろげようではないか！

日共二〇〇四年綱領

中国規定の破綻の隠蔽に腐心する不破

「事態の変化」を口実とした中国礼賛論の転換

日共・不破＝志位指導部は二〇二〇年一月の第二十八回党大会において党綱領を改定した。「〔中国は〕『市場経済を通じて社会主義へ』という取り組みなど、社会主義をめざす新しい探究が開始された」国である、という規定をバッサリと削除したのである。党大会二日目の「討論」の冒頭で「二〇〇四年綱領改定案の報告者」として〝老党首〟不破哲三が登壇し、件（くだん）の「中国規定」を党員におしつけてきたことを自己批判することなく、傲然と居直った。

曰く、二〇〇四年綱領改定で盛りこんだこの規定は、中国側が「〔大国主義・干渉主義について〕過去に前例を見ないほどきっぱりした反省の態度表明をした」時期のものである〔だからなんら間違いではない〕。だが、「〔〇八年以降〕中国公船団による尖閣諸島の領海侵犯事件が拡大」してきており「反省はすでに過去のものとなった」のでこの規定を削除することにした、と。（『しんぶん赤旗』二〇二〇年一月十六日付）

「市場経済を通じて社会主義へ」と規定した当時は〝合理的根拠〟があった、それを削除することにしたのは、中国の「大国主義」が目立ってきた現実の進展にふまえたもので〝どちらも正しい〟と言い張ったのだ。だがこれは二重、三重の欺瞞である。

この中国規定は、「社会主義市場経済」を掲げる中国の〝資本主義的発展〟という事態に瞠目させられた不破が、これを中国共産党・政府が進める「市場経済を通じて社会主義へという取り組み」などと美化し、〇四年の綱領改定の一つの柱としたものなのである。――この中国礼賛論への転回は、「一超」アメリカを「多強」（中国・ロシア・EU・日本）で包囲するという戦略にもとづき米・日離間政策をとった中国・胡錦濤指導部が、その貫徹のための〝手駒〟として代々木共産党を利用すべく日・中両党の「和解」を提示したこと、これに不破が乗せられたからなのである。

にもかかわらず不破は、この中国式「市場社会主義」にイカれたという核心問題とその政治的動機を隠蔽し、削除するのは中国側が大国主義・干渉主義的な「対外活動」をやりはじめたからだとおしだしているのだ。しかも、〇八年以降に「事態が変化した」と今日では称しているが、当時の不破はこの規定にしがみつき、〇九年の日中両党会議でも、やれ「社会主義をめざす新しい探究が開始された国ならではの先駆性を発揮することを心から願う」だの、やれ「長い目で見守る」だのと中国政府を必死で擁護してきたのだ。ところが、今はこのことにダンマリを決めこんでいるのである。

不破は「その数年後に事態が変化しました」の一言でもって中国共産党への百八十度の評価変えを「当然の結論だ」とうそぶく。みずからの情勢分析や路線の誤り・破綻が歴然となっても、それをあくまでも隠蔽し、「情勢の変化」を口実にして路線転換を正当化するスターリン主義官僚の常套手段を使って傲然と居直っているのだ。

こうした不破の〝転換〟は、わが革命的左翼が中国礼賛論（それを含む〇四年綱領）の犯罪性を徹底的に暴きだすイデオロギー的重砲火を浴びせてきたことへの屈服にほかならない。今回の綱領改定にたいして、「当時からウイグル弾圧はあったではないか」とか「中国側の反省をどう分析したのかこそ問題ではないか」という下部党員の疑問・不満が噴出しているのも、わが革命的左翼の不破批判への共鳴・共振の表れなのである。

〝遅れた国での革命不可能〟論

中国規定の削除＝〇四年綱領の破産を居直った不破は、〝アンチ革命〟の本性を全面開花させて「新たな覚悟」なるものを党員に強要した。〝遅れた国から革命をはじめた中国や旧ソ連をもう手本にする必要はない〟。「社会主義的変革」は「資本主義のもとでつくりだされた諸成果を継承、発展させることによって実現される」のであり、「発達した資本主義国での社会変革は、社会主義・共産主義への大道である」。先進国・日本の共産党こそが「世界の最前線に立っている」ノダ、この「新たな覚悟」をもて、などとほざいた。資本主義の「民主的」な改良がすべてであり、それを「社会主義的変革」とみなす――そのような見地に徹せよ、というわけだ。真正の修正資本主義的腐敗の極致！

　それだけではない。不破は、この「大道」論を正当化するために、言うに事欠いて「旧ソ連や中国の経験は、挫折や変質の可能性が大きくある道であることの、何よりの実証となりました」などと口走った。レーニンを先頭とするボリシェビキの命懸けの闘いによって切り拓いた世界革命の拠点としてのロシア・プロレタリア革命も、この男にとっては、ニガニガしい出来事であり「資本主義的発展の遅れた状態」から〝できるはずもないのに無理して社会主義をめざしたがゆえに挫折・変質した〟実例でしかないのだ。

「マルクス・エンゲルスの遺訓」の偽造

　ところで不破は、この「大道」論を権威づけるために「マルクス、エンゲルスの『遺訓』」なるものをさもさもらしく開陳した。「民主共和制」を「資本主義の諸成果」のひとつにあげ、マルクスとエンゲルスは、これを「社会主義的変革」へ継承されるものだと終生かわらず主張していた、と。その「実例」と称してエンゲルスの二つの文章を引っぱり出す。

　①「マルクスと私とは、四十年も前から、われわれにとって民主共和制は、労働者階級と資本家階級との闘争が、まず一般化し、ついでプロレタリアートの決定的勝利によって、その終末に到達することのできる唯一の政治形態であるということを、あきあきするほど繰り返してきているのである」

　②「民主共和制はプロレタリアートの政権の『特

有の形態』である」

　これらの「遺訓」なるものは偽造でしかない。まず②について。不破はエンゲルスの文章をまともに引用しない。原文は「プロレタリアートの独裁のための特有な形態ですらある」（「一八九一年ドイツ社会民主党綱領草案批判」）。不破は「ための」を削り、エンゲルスが「民主共和制」を来たるべき労働者国家の国家形態のひとつであると論じているかのように偽造しているのだ。

　①は「尊敬するジョヴァンニ・ボーヴィオへの回答」というエンゲルスのごく短い論文からの引用ではある。しかし、どこをどう読んでも〝エンゲルスは民主共和制を社会主義へと継承されるべきものと主張した〟などと読めるはずもない。

　エンゲルスが言わんとしていることは、民主共和制は労働者階級と資本家階級の「最後の決戦をたたかいぬくことのできる国家形態」（『家族・私有財産および国家の起源』）であるということだ。民主共和制が労働者国家に継承されるべき国家形態だ、などと論じているわけでは毛頭ない。

むしろ不破の思惑とは裏腹に、この「ボーヴィオへの回答」は日共・不破＝志位指導部の〝政権ありつき病〟の反マルクス・エンゲルスぶりを照らしだしているとさえいえる。

この「回答」は一八九二年にイタリアの哲学者兼政治家ボーヴィオの愚にもつかぬ非難――〝エンゲルスは「社会党がドイツ議会で近い将来多数になるだろう」と言っておきながら、どのような権力を樹立するのかはっきりさせていない〟というもの――への反論である。

エンゲルスは語る。「『社会主義者の党が多数派になるだろう、そして権力を握るだろう』などと私は言わなかった。反対に私は、わが支配者たちがその時期が来るよりずっと前にわれわれにたいして暴力をもちいるであろうし、このことによってわれわれは多数派をあらそう舞台から革命の舞台へ移るだろう、それは十中八九確かだ、と強調したのだ」と。

ドイツ皇帝を戴く帝国議会で多数をとって政権党になる、なんてことを夢想するのはバカげている。労働者階級の闘いが支配体制を揺がせば必ずや支配者どもが襲いかかってくるにちがいない。その決定的瞬間をこそ革命に転化するのだ――このように身構えている革命家エンゲルスの気迫が伝わってくるではないか！

「野党連合政権」の樹立を自己目的化し他の野党との合意づくりにのめりこみ、いまや「安保廃棄」も「自衛隊解消」も廃棄し日本国家の安全保障のための安保・自衛隊の「活用」を公言するにいたっている不破＝志位指導部。この反プロレタリア性・反人民性の根源は、「革命」も「労働者階級」も「帝国主義打倒」も一切合財否定し「資本主義の枠内での改良」を自己目的化する真正の修正資本主義にある。いまこそ綱領改定の反プロレタリア性を暴きだすイデオロギー的重砲火を浴びせかけようではないか！

（参考文献・『革命の放棄』こぶし書房刊）

道　法　寺　卓

歴史・公民教科書の実質的な「国定化」を許すな

草津　洋

二〇二〇年七月から八月にかけて、二〇二一年度から中学校で使用される教科書の採択が全国各地でおこなわれた。今回の採択において、日本の侵略戦争を「自存自衛」の戦争と美化し現行憲法の改悪を肯定する育鵬社の歴史・公民教科書を使用してきた地域で、同社の歴史・公民教科書の不採択が相次いだ。

われわれは、極反動・安倍政権の意を受けた「新しい歴史教科書をつくる会」系の部分が作成した育鵬社教科書の採択を阻止する闘いを、既成指導部の闘争放棄を弾劾しつつ労働組合運動の深部から創造してきた。育鵬社教科書の採択地区の激減は、こうしたわが闘いの成果である。この意義をガッチリと確認しようではないか。また、日本会議系右翼の圧力で育鵬社教科書採択を強行された採択地区のたたかう教育労働者たちは怒りに燃え、すでに反撃にたちあがっているのだ。

同時にわれわれは、その他の教科書会社の歴史・

公民教科書の記述内容が、教科書検定の強化によって軒並みに反動化していることにたいして警鐘を乱打しなければならない。日教組本部や全教本部は教科書の記述内容の反動化についてはまったくの無対応を決めこみ、ただ採択方式の「民主化」を求めてきたにすぎない。われわれは、既成指導部の腐敗した対応を許さず、教科書内容の反動化の攻撃を覆すためにさらに奮闘しようではないか！

1　育鵬社教科書の採択地域の激減

育鵬社教科書を使用してきた地域のうち今回不採択となったのは、横浜市、藤沢市、大阪市（全四地区）、東大阪市、松山市、広島県呉市、石川県小松市、東京都立中高一貫校・特別支援学校、福岡県立学校などである（歴史・公民どちらかの不採択も含む。私立中学は除く。九九頁の表参照）。これら多くの地域での不採択により、育鵬社歴史教科書は現状の約七万三〇〇〇冊から今回一万冊前後へ、公民教科書が六万七〇〇〇冊から五〇〇〇冊前後へと激減する。

全体の現行教科書発行部数は歴史で約一一九万冊、公民で約一一八万冊であるから、「つくる会」系の影響力は大きく削ぎ落とされたのである（註1）。

だが、教科書検定の強化により、教科書の内容は各社とも反動的な内容へと大幅に改変された。たとえば東京書籍の教科書は、現行で歴史約六〇万冊、公民約六九万冊という全体の過半数の発行部数であるが、その記述内容は今年、育鵬社と大差ないものへと書き換えられている。たとえば歴史では、憲法発布直後の文部省の中学生向け教科書「新しい憲法のはなし」の挿絵は残してあるものの、これまであった吹き出し引用文が削除された。

削除されたのは「そこでこんどの憲法では、日本の国が、けっして二度と戦争をしないように、二つのことを決めました。その一つは、兵隊も軍艦も飛行機も、およそ戦争をするためのものは、いっさいもたないということです。これから先の日本は、陸軍も海軍も空軍もないのです。これを戦力の放棄と言います。『放棄』とは『すててしまう』ということです。しかしみなさんは、けっして心ぼそく思うことはありません。日本は正しいことを、ほかの国よりさきに行ったのです。世の中に、正しいことぐらい強いものはありません」という部分である。この吹き出し引用文が自衛隊をアメリカとともに戦争する帝国主義軍隊として強化している現政権の安保政策の否定につながると文部科学省にみなされ、いわゆる「一発不合格方式」によって検定不合格となることを、出版社が恐れたことは明らかである。

今年まで育鵬社教科書を使用し今回不採択にした地区・県

	歴史	公民
東京都	武蔵村山市、小笠原村	武蔵村山市、小笠原村
神奈川県	横浜市、藤沢市	横浜市、藤沢市
石川県		小松市
大阪府	大阪市＊、四條畷市、泉佐野市	大阪市＊、四條畷市、東大阪市、河内長野市
広島県	呉市	呉市
山口県	防府市	
愛媛県	松山市、新居浜市、四国中央市、上島町	四国中央市、上島町
都道府県立学校	東京都、香川県、愛媛県、福岡県	東京都、香川県、愛媛県

＊大阪市は四つの採択地区に分かれているが、いずれの地区でも不採択となった

　東京書籍の公民教科書では、「憲法改正」の記述が大幅に増えた。「国会の仕事」として「憲法審査会と憲法の改正」という改憲手続きを詳述したコラムが新設され、第四次安倍政権発足時の安倍晋三の顔写真入りの新聞記事「改憲論議呼びかけ」や「首相、改憲議論加速に意欲」の写真が掲載された。また、現行の「一方で、自衛隊は憲法第九条の考え方に反しているのではないかという意見があります」という記述が削除された。また「このような自衛隊の海外派遣については慎重な意見もあります」も削除され「こうした活動は、武力の行使にならない範囲で行うことが国際社会から求められています」に差しかえられた。しかもなんと今二〇年、育鵬社版と同じように旭日旗をバックにした安倍の自衛隊観閲式の写真が掲載された。

　われわれは、検定制度を手段として教科書内容の改変を強制した政府・文科省を弾劾しなければならない。

2　教科書検定の強化と実質的な「国定教科書」化

「右翼の軍国主義者」を自称する極反動の前首相

・安倍のもとで文科省は、これまで「日本会議」や自民党の地方議員などを使って裏から支えながら、「つくる会」系育鵬社の教科書の採択地域を拡大するために狂奔してきた。同時に学習指導要領(二〇一七年改定、中学は二一年度から全面実施)の内容を全教科書に貫徹する策動を正面からおしすすめてきた(註2)。この新学習指導要領の核心は「アメリカとともに戦争する国」の〝臣民〟を育てるための「愛国心教育」と、ICT(情報通信技術)人材育成のための「能力主義教育」である。安倍はこの内容を貫徹するために、とりわけ社会科教科書を統制するために、一四年から強行された小・中学校の社会科教科書の検定基準の改定と、検定審査要綱の改定を活用するかたちで、検定強化をおしすすめてきた。

その検定基準は、①「通説的な見解がない数字などの事項」について「誤解」のないよう記述すること。(南京大虐殺で日本軍が殺戮した中国人の人数や、日本軍「従軍慰安婦」や強制連行への日本国家、軍の関与などを通説的な見解がないと称して記載させない。これは軍国主義日本の戦争犯罪をもみ消すためのものだ!)②閣議決定・政府の統一的な見解・最高裁判所の判例にもとづいた記述をすること。(閣議決定で教科書内容が決まる!)③改悪教育基本法の目標に違反する場合は不合格(一発で検定不合格)とする、というものだ。さらに新学習指導要領の解説では、竹島・「北方領土」・尖閣諸島が「日本の領土」であることを明記することも強制した。このような恫喝的で悪逆な検定制度の強化により、実質的な「国定教科書」化が進められてきたのだ。

3 日教組本部・全教本部の腐敗した対応

許しがたいことに今回の教科書採択について、日教組本部も全教本部も何のコメントも出してはいない。いやそもそも日教組本部は、文科省を「パートナー」とみなす日教組版労使協議路線にもとづいて、育鵬社教科書不採択運動にまったくとりくんではこなかった。また日共中央に盲従している全教本部は、日共中央の「保守層との共同」という基本路線の教育労働運動版としての「子ども参加、父母共同の学校づくり」方針にもとづいて、教育当事者とみなす父母・地域住民・管理職ら〝保守層〟との「共同」づくりを第一義とし、文科省による反動的教育政策にたいする反対闘争を後景化させてきた。彼らは教科書問題では教育内容の批判はおこなわず、「民主的な教科書採択」を文科省や各地の教育委員会に〝お願い〟することへと教組の闘いを解消してきたのである。

日共中央は、機関紙『しんぶん赤旗』(二〇年九月二十二日付)で、「育鵬社激減」、「政治介入、押し返した」という記事を一面に掲げ、これを「市民の力」の成果として大讃美している。しかし彼らは、育鵬社以外の教科書の内容が反動化していることについてはまったくふれていないのだ。いやそもそも、こんにち「真の愛国者の党」を標榜する彼らは、立憲民主党らの野党とのあいだで「野党連合政権構想」に合意してもらうために、安保政策の右翼的緻密化に腐心し、「日本有事」の際には「自衛隊活用」だけでなく「安保条約第五条にもとづく日米共同対処」をも認めているのだ。政権の一角に入ることができれば、尖閣諸島などで武力衝突が起きた場合には、米軍と自衛隊の共同で軍事行動を起こすことを日共中央が積極的に承認するというのである。この超右翼的で反労働者的な安保政策を掲げている以上、先にふれたような現存国家への「愛国心」の涵養を強化するための教科書の反動的な改悪内容に決して対決できないのである。

4　既成指導部の闘争放棄・歪曲をのりこえ学校現場から論議を巻き起こそう

われわれは〇一年、「つくる会教科書」の採択を全国で一地区たりとも許さない闘いを、日教組本部が自民党や右翼ジャーナリズムの日教組攻撃にすくみあがり「採択阻止」の運動を放棄したことを弾劾しつつ推進した。われわれはこの闘いのただなかで「『つくる会』教科書の検定合格―採択の攻撃は、核心的には『滅私奉公』の精神を子どもたち(生徒）に植えつけるという教育内容を貫徹するためのものであり、同時にそのような教育をおこなう教師（教育労働者）を育成することを目的にしている」（山岡仁八「『つくる会』教科書阻止のわが闘い―その教訓」本誌第一九五号）ことを明らかにし、「組合員を教育しこれを基礎に組合を強化する闘い」を追求してきた。われわれはこの闘いの意義をいま一度明確にしてたたかう必要がある。

いま現在、教育労働者は政府・文科省による新たな攻撃にさらされている。過労死ラインを超える超長時間労働（多忙化）の強制と、ＩＣＴ（統合型校務支援システムなど）を活用した労務管理の強化などによって、多くの教師は疲労困憊とたえざる精神的緊張を強いられている。少なからぬ教育労働者は、学習指導要領や教科書の内容を批判的に検討する余裕も奪われ、そのまま教えなければならないと思いこまされている。中学校の定期考査の試験問題が教科書の内容を逸脱していないかどうかを校長がチェックするということまでが各地でおこなわれている。授業案を管理職や校長の指導どおりに修正させられるだけでなく、授業において教科書の記述内容に反することを生徒に教えたり、疑問を述べたりすることも管理職の監視の対象となり、彼らの「評価」にさらされる。これら文科省・教育委員会に指示された管理職による労務管理・教育内容の統制の強化の攻撃に日常的にさらされている教育労働者は、反動的な教育内容に無批判的な姿勢をとることを強制されるのだ。

それだけではない。たたかう教育労働者の奮闘にもかかわらず、日教組本部が反動的な教科書の採択を阻止する闘いを放棄しているがゆえに、多くの若い教育労働者は教科書の記述内容をそのまま自分の思想のように受け入れてしまうという危機的な現実が生みだされている。「教科書などの教材という対象的形態をとって現われる労働手段のうちに刻みこまれている科学、技術、知識などの体系を、教育労働者は自己の頭脳のうちに内在化、主体化することなしに、対象たる子どもへの働きかけを行うことができない」（和泉朗「日共式『教師＝聖職』論批判」『共産主義者』第三六号）という教育労働過程の独自的構造のゆえに、教育労働者は学習指導要領や教科書の内容への否定的自覚をもたないかぎり、容易にネオ・ファシズム的教育を積極的に推進する教師へと〝改造〟させられてしまうのだ。

既成指導部のように、教科書の採択方式を「民主的」に改良することを要請することによっては、新指導要領にもとづく反動的な教科書を導入する攻撃を打ち砕くことは決してできない。われわれは、分会や単組の組合運動あるいは教研活動のなかで、今回の育鵬社教科書不採択の意義をうち固め、各教科の教科書内容の反動的改変の危険性を断固として暴露していこう！　いまこそ既成指導部の闘争放棄を弾劾し、教育のネオ・ファシズム的再編に抗する力を教育労働現場から創りだすために奮闘しよう！

註1　全体的に激減したとはいえ、育鵬社教科書が採択された地域もある。山口県下関市・岩国地区、栃木県大田原市、石川県金沢市・小松市・加賀市、大阪府泉佐野市、沖縄県八重山地区などである。

註2　文部科学省は新学習指導要領で、「育成すべき資質・能力」を①知識・技能、②思考力・判断力・表現力、③学びに向かう力・人間性とし、③を最重要視している。たとえば、学習指導要領解説社会科の場合、最重要と言われる「学びに向かう力・人間性」のところは、中学校では、「我が国の国土や歴史に対する愛情、国民主権を担う公民として、自国を愛し、その平和と繁栄をはかる」「自覚を深める」ことが目標として掲げられている。これらの目標達成のために①知識や②思考力・判断力・表現力が手段とされ、「主体的・対話的で深い学び」という指導方法までも押しこんだのだ。文科省は、以上のすべてを必須の内容として教科書会社に枠はめし強制した。このため、各教科書会社は学習指導要領解説に従わざるをえず、執筆者や編集者はこの枠内でしか教科書をつくれなくなっている。公民では、学習指導要領解説で、初めて「『憲法』改正のための国民投票の具体的な手続きも法律によって定められていることについて理解できるようにすることが必要である」という一文が加えられ、今回、すべての教科書にその内容が記載された。教科書展示会で各教科書会社の教科書を比較して、内容が似ており、一律化してきたと感じる教員や教育関係者が多いのはこれらのためである。

テレマティクスの導入＝郵便集配合理化反対！

高山　徹

郵政経営陣は、郵便物の減少と荷物の増加という郵便物流構造の変化に対応して、集配業務全体（郵便の配達、荷物の配達と集荷、郵便ポストからの取集、営業）を改編する一大合理化攻撃を郵政労働者の頭上にうちおろしている。経営陣は、集配部門の生産性を飛躍的に向上させるために、郵便の配達と荷物の配達・集荷とを一つの労働組織でおこなわせることを基本構想として、会社組織の統合や労働組織の再編につきすすんでいる。二〇二〇年の現段階においては、集配労働者にスマートフォン端末を携帯させ、その位置情報を配達順路の〝効率化〟や配達区画の〝調整〟に活用するためのテレマティクスの本格実施を急いでいる。

この集配部門の一大合理化攻撃にたいして、ＪＰ労組本部は「先端技術の活用は進めていく」と表明し全面協力している。先行実施されている地方からあがる「労務管理に使われているだけだ！」の怒りをうけて、ただ「誤解のないように進めてほしい」などと経営陣に懇願しているだけなのだ。ふざけるな！　われわれたたかう郵政労働者は、本部の全面協力を弾劾し、テレマティクス本格実施に反対する闘いを職場生産点から断固として創造していくのでなければならない。

1　集配業務大改編のためのテレマティクスの全国拡大

郵政経営陣が強行実施しているテレマティクスは、集配労働者にスマートフォンを携帯させ、スマートフォンのＧＰＳ（全地球測位システム）と加速度センサーの機能を活用するものだ。一秒ごとに送信される誤差五センチメートルといわれるＧＰＳの位置情報を用いて、労働者がおこなう配達労働をモニターの地図上に「配達軌跡」として描きだすとともにそのデータを集積する、また加速度センサーを用いて配達走行中の危険運転や法令違反を検知するのだという。郵政当局は、日々の配達業務において、外務班の班長に班員の配達地点を確定して業務指示を的確におこなわせ超過勤務を抑制したり、また配達走行中の労働者が危険運転をしたならばスマートフォンから電子音で警告させ交通事故を抑止するとおしだしている。さらにこの「配達軌跡」と「所要時間」のデータから最も所要時間の短い「配達順路」をＡＩ（人工知能）を活用して作成し、この「配達順路」で労働者に配達させるとしている（註１、２）。

(1)　ＡＩを活用した「配達順路」作成と労働者への押しつけ

経営陣は「配達速度」を向上させるために、配達区画のなかにある「飛び地」（註３）や「配達順路の重複」をなくすとともに、ＡＩに集積した「配達軌跡」と「所要時間」のデータから配達区画の部分部分で最も配達の速い労働者の「配達軌跡」を抽出し、それらをよせあつめ〝最速〟の配達順路＝「効率的な配達順路」を作成しようとしている。集配労働者がどのように配達労働を実現するのかについてはまったく埒外にし、個々の労働者がもつ技術性・技能性をも無視しているのだ。集配労働者は、ＡＩが作成した「効率的な配達順路」で配達することを命じられ、「自分の配達方法とは違う」という精神的ストレスを一日中抱えながら配達労働を強いられることになるのだ。

また、郵政当局は荷物（ゆうパック）の配達に「最適な配達ルートをＡＩで自動計算する」ことをうたう「ルージア」の配備を開始している。これは、当日配達する荷物（ゆうパック）の「配達順路」をＡＩを活用して作成し「このルートで配達せよ」と労働者に押しつけるものだ。これを「経験がなくとも配達できる仕組み」であり、労働者には熟練はいらない、スマートフォンの画面を見て配達すればいい、と豪語しているのが経営陣だ。彼らは、現在でも低賃金で雇用している労働者の賃金をよりいっそう切り下げ、極悪の労働諸条件で酷使しようと狙っているのだ。

⑵　超勤削減・生産性向上のための「区画調整」

経営陣は超勤の削減、人件費削減を実現するために、〝最速〟で配達業務が可能な「配達順路」の作成と合わせて、テレマティクスを活用して一つの郵便局が受け持つすべての配達区の配達業務量をおおむね平均化する「区画調整」を急いでいる。テレマティクスに集積される配達区ごとの「配達軌跡」と「所要時間」をとりまとめ、一つの郵便局が受け持つ配達地域全体の「所要時間」を算出し、それを配達区画の数で割り平均的な「所要時間」を観念的に構想する。各配達区の「配達軌跡」をひと繋がりにし、計算上の「所要時間」で区切って新たな配達区を策定するのだという。超勤の多い配達区と少ない配達区とを平均化して、すべての配達区を超勤の少ない区画にしようというのだ。当局は、配達区画の平均化によって「超勤しなくても完配できる区画をつくった」、「全区同じ業務量だからある班だけ超勤はおかしい」などと労働者を恫喝し、班どうしを競争させて、超勤を削減し生産性をよりいっそう向上させようとしているのだ。実にあこぎではないか。

しかも経営陣は、この方法での「区画調整」は都市部における「駅前再開発」などで地形と地勢が大幅に変更される場合でも、二年〜三年の間隔で簡単に対応できると豪語している。また、班長や計画事務担当者が「区画調整」の計画案作成に費やす時間を大幅に縮減することによって、集配業務の〝効率化〟や班員指導などの班長業務をより徹底させることも追求している。こうして「区画調整」のための事務作業においても、テレマティクスで集積したデータをもとにコンピュータを活用し、もって徹底して経費を削減しようとしているのだ。

(3)　「交通事故防止への活用」なる欺瞞

経営陣は全国的に配達途上の交通事故が多発するなかで、テレマティクスを用いて労働者を終始監視し、「交通規則違反」をしたらその都度「注意喚起」＝恫喝的指導をおこなおうとしている。こうすれば交通事故を「防止」「削減」できるかのように考えているのだ。冗談ではない！　集配労働者が交通事故を起こしてしまうのは、〝空前の要員不足〟のなかでこの穴埋めに時間外労働を強要され肉体的にも限界状況においこまれているからではないか！　さらに「多能工化」と称してすべての郵便物を一人で配達することが強要されているがゆえに、配達途中では「どの郵便物から配達するか」「配達時間は間に合うか」をつねに考え配達作業をしており、他を見ている精神的余裕さえ奪われているからではないか。こうして必然的に注意力を郵便の配達に集中せざるをえないがゆえに、交通事故を起こしてしまうのだ。

経営陣はこのかん「交通事故防止」と称して事故発生後に「事故事例研究会」なるも

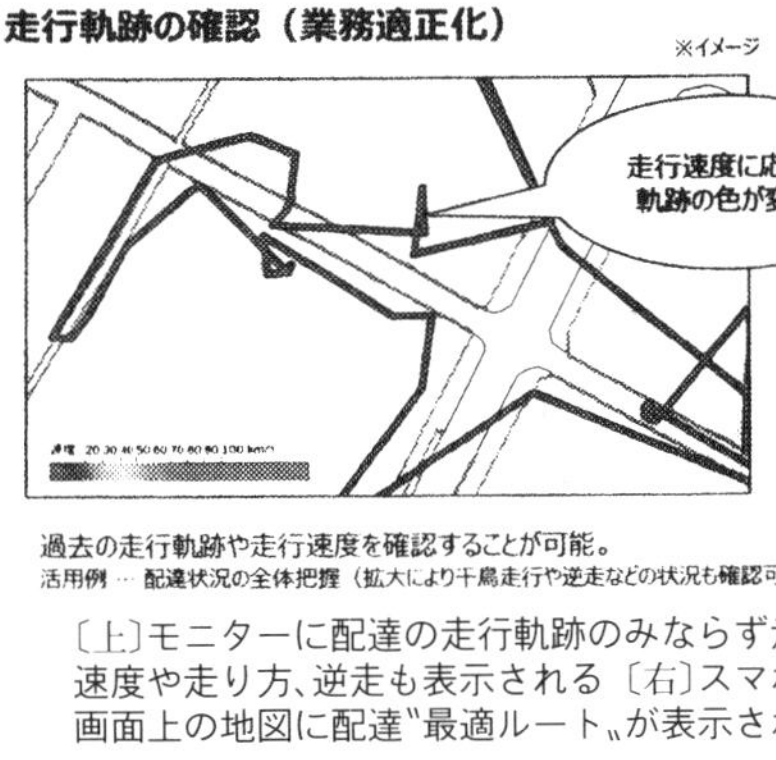
走行軌跡の確認（業務適正化）
※イメージ
走行速度に応じて
軌跡の色が変化
過去の走行軌跡や走行速度を確認することが可能。
活用例…配達状況の全体把握（拡大により千鳥走行や逆走などの状況も確認可能）

〔上〕モニターに配達の走行軌跡のみならず走行速度や走り方、逆走も表示される〔右〕スマホの画面上の地図に配達〝最適ルート〟が表示される

のを開催し、集配労働者の前で事故を起こした当該労働者を〃つるし上げ〃見せしめにすることによって交通事故多発を〃打開〃しようとしてきた。しかし、当然にもこれは逆効果となり労働者は萎縮するだけで、事故は少なくなるどころか年間三〇〇〇件以上も発生している。この事態にたいして郵政当局は、テレマティクスを活用し〃リアルタイムで労働者を監視〃し、いっそう労働者を締めつけることによって〃打開〃しようとしているのだ。彼らの問題関心は、「損害賠償」「事故処理要員」など事故にかんする経費の削減にしかない。交通事故激増の原因は極限的な労働強化の強制にあるのであって、一切の責任は当該労働者ではなく会社＝経営陣にこそあるのだ！

(4) 「共助・共援」の名による超勤削減・生産性向上の煽りたて

経営陣は超勤を削減し生産性を向上させるために、テレマティクスを最大限活用して「共助・共援」を飛躍的に強化しようとしている。テレマティクスによってモニター画面上に映しだされる「配達軌跡」と「通過時間」によって、配達中の労働者がどこにいるか、どのくらい配達が進んでいるかを、これまでとは違ってリアルタイムで把握することが可能になる。当局は、集配部門の単位労働組織である外務班の班長にたいして、この機能を活用して、自分の配達が早く終わりそうな班員を配達の遅れている班員のところに応援に行かせる「共助・共援」と称する指導を徹底するように求めている。「共助・共援」の名のもとに労働者を一分一秒たりとも休ませることなく働かせることによって、超勤と人員を削減しようとしているのだ。またとくに配達作業の遅い労働者にたいしては、集積した「配達軌跡」と「所要時間」の大量のデータを使って、班長に「いつまで応援ばかり受けているんだ！　自分も他の区の応援に回れるようになれ」などの厳しい〃指導〃をさせ、生産性向上にかりたてようというのである。しかも経営陣は、〃空前の要員不足〃のなかで「共助・共援」体制強化を叫びたて、その基盤となる「通区率向上」のための「通区訓練」の実施を強行しようとしているのだ。「徹底した合理化・効率化による要員生み出し」と「通区訓練自体の効率化」によって実現すると〝本部要求を受け入れる〟かたちで。

当局は班長にたいして、配達・集荷業務のための効率的要員配置、二輪と四輪の運用、各班員への業務指導などを、テレマティクスに集積したデータを活用しておこなうように強い、班長を中心とした業務運行をめざしている。班長は班員にたいして、「配達軌跡」「所要時間」「交通違反」などのＡＩに蓄積されたデータを「コミュニケーションツール」として使い、各班員の配達効率の向上のため、また「交通事故」「交通規則違反」の削減のために指導することが強要される。班長を軸とした労務管理が飛躍的に強化されるのだ。

(5)　ＡＩ・ＩｏＴを活用した一大集配合理化と賃金体系の改悪

郵政経営陣は「来年度から赤字に転落する」「コロナ禍で郵便物の減少は加速している」と「事業危機」をことさらに吹聴し、郵便・集配部門におけるリストラ・合理化を一気に加速させている。すべての郵便物とゆうパックなどの荷物の「引受け・区分・輸送・配達」の全過程にＡＩ機器を導入し、もって郵便・集配労働過程を大再編しようとしているのである。すなわち、①郵便物と荷物との一体的な配達を促進する「集配体制の見直し」施策の徹底、②「配達順路」を作成するための郵便・荷物の配達へのＡＩ機器の導入、③民営化で別会社とされた窓口部門と郵便・集配部門のコンピュータ・システムの統合と高度化による「引受け・区分・輸送・配達」の全行程の管理・統制、である。

これらの追求によって郵政経営陣は、郵便・荷物の引受け時において宛名・宛先・時間指定などの情報をもとにＡＩを使ってその日に配達する郵便・荷物の〝最適〟な「配達順路」を、郵便物・荷物が到着する前に、作成することを目論んでいる。そして、労働者には「配達順路」に従って行動することを強制しようとしているのだ。このために経営陣はテレマティクスの全国配備をおしすすめ「配達軌跡」のデータの集積と活用を急いでいるのである。経営陣は「熟練者でなく経験の浅い方でも活躍できる環境を実現する」などと傲慢に述べたてている。彼らは、少数の管理者とＡＩの指示で働く多数の現場労働者へと労働組織を改編しようとしている。

経営陣は労働組織を再編し、この再編に見合って賃金支払い形態をも改悪しようとしている。すなわち、労働組織を管理部門と現場部門に簡素化し、大部分の現場労働者にはＡＩ機器の指示のみでの労働することを強要し、経営陣にとっての「付加価値が低い」と評価したうえで低賃金に抑えこもうとしている。大幅な労賃コストを削減するために、賃金体系の改悪を策しているのが彼ら経営陣なのだ。

このようにしていま経営陣がおしすすめつつある「人事・給与制度」の改悪は〝郵政版ジョブ型雇用〟ともいうべき雇用形態の導入なのである。

本部労働貴族どもが二〇二一春闘において「シンプルな賃金体系」の実現を掲げるのは郵便物流・配達部門の一大改革に見合った賃金支払い形態の大改悪を労組の側から支えるという極めて反労働者的な要求なのだ。

このことは、郵政労働者によりいっそうの低賃金と大幅な人員削減を強制することを意味する。

2　ＪＰ労組本部の全面協力を許さず人員削減・労働強化反対の闘いを

ＪＰ労組本部はテレマティクス導入にたいして、①ＡＩ・ＩｏＴ（モノのインターネット）や新技術による利便性・生産性向上をつうじた事業基盤確立は重要な取り組みであり、②業務負荷低減や労働力不足解消への対応策として期待できる、と賛美し全面協力をうちだした。

⑴　「労働力不足解消」という欺瞞

本部は、現在の〝空前の要員不足〟のなかで、郵政当局がテレマティクスを導入し「配達順路の効率化」や「配達区画調整」をおこなえば、配達業務が効率化され、あたかも「要員不足」の解消ができるかのように吹聴している。だが、ＡＩを使って新たに作られた「配達順路」と「配達区画」では、労働者はいっそう過酷な配達労働を強いられ、一日中ＩＴ機器に支配されるかのごとき作業を強制される。この肉体的・精神的負担は莫大なものであり、これができなければ労働者は会社当局によって切り捨てられてしまう。「集配体制の見直し」による集配部とゆうパック部との会社組織の統合が強行される職場では、ゆうパック労働者は集配の外務班に強制配転させられ、ゆうパック配達とは異なる種類の労働を強いられる。この配置転換を非正規雇用労働者が断れば即雇い止めにされるのだ。総じて資本家どもはＡＩやロボットを導入することをテコとして、多くの労働者を生産過程、業務過程から駆逐し、配転したり解雇したりしているのだ。つねに労働者に「生産性向上」を強制することと一対のものとして。

テレマティクス導入にたいする「業務負荷低減や労働力不足解消への対応策として期待できる」などという本部の見解は、集配部門の一大合理化をあたかも人員不足の対策ででもあるかのように組合員を欺瞞する言辞にほかならない。労働者を〝経営資源の一部〟ででもあるかのように扱い、〝経営陣の好きなように酷使してください〟と言わんばかりではないか！

この本部の大裏切りによって労働者の労働諸条件は最悪の状態に落としいれられる。労働者は、ＡＩを活用して作られた「配達順路」と「区画調整」によって労働強化、労務管理強化の渦のなかに叩きこまれるのだ。〝空前の人員不足〟の穴埋めのため時間外労働を強要され心身ともに疲弊し疾患者まで出ているなかで、今以上に働き「生産性をあげよ」と号令をかけられる。しかも「共助・共援」の名による管理者（班長）の指示により、自分の配達が終わったとしても帰局できず他の配達区まで配達することを強いられる。こうして集配労働者は一分一秒たりとも休むことなく、猛暑のなか、厳寒のなか、経営陣が新型コロナ対策をおざなりにするなかで〝感染の恐怖〟をつねにかかえて、配達労働に駆りたてられるのだ！

まさしく、「種々の方法による労働生産性の向上は、労働力商品の使用価値のブルジョア的に効率的な消費のしかたにほかならず、相対的にも絶対的にも搾取の強化となる」(黒田寛一著『賃金論入門』こぶし書房刊、一二四頁)のである。

(2) AIを使った「配達順路」作成を美化する反労働者性

集配労働者はこれまで培ってきた配達労働にかんする技術性や技能性を完全に否定され、ただAIの示す「配達順路」に沿って配達することを強要される。労働者じしんが構想する配達の順路や手順を、直接にはAIによっていっさい否定され「自分が自分でなくなる」感覚さえ生みだされる。この耐え難いストレスをかかえながら何も考えず何も言わずにただただ〝馬車馬〟のごとくAI機器を使って作成される「配達順路」に沿って配達労働をおこなうことを、郵政当局によって強制されるのだ。

集配労働者がおこなう配達労働は、①配達する郵便物の確認、②バイクに乗って配達地点へ移動、③受取人への配達、から成っており、労働者は担当するすべての郵便物の配達が終了するまで①②③の工程をくりかえす。配達する郵便物を確認(①)するために郵便物の宛名を読むときには、集配労働者は頭のなかに、配達先の何らかの情景と移動する道とを思い浮かべている。ベテランの場合は郵便物を見た瞬間にイメージが湧き、新人の場合は「これ、どこだっけ?」と困った顔になる。AIを使って作成した「配達順路」は、ベテラン労働者にとっては配達地域にある道路のイメージを呼びおこすだけで、郵便物の宛名を見て頭のなかに思い浮かべた受取人やその家屋や周辺の風景などのイメージを否定する圧力=ストレスとなる。新人労働者は頭のなかに配達先をイメージすることなく、スマートフォンの画面に表示された地図を頼りにバイクを運転せざるをえず、つねに交通事故の危険にさらされる。さらに配達先のイメージを蓄積することができないので、配達労働は苦しいだけのものとなるのだ。郵政当局が強行するAIによる「配達順路」の作成と集配労働者にたいするそれに従った配達労働の強制は、集配労働者の労働の疎外を一気に深めるものにほかならない。

本部は、「先端技術の活用は進めるべきだ」などと称してテレマティクスの全国配備を尻押しし、首切り・強制配転・労働強化に全面協力している。この裏切りを断固として弾劾するのでなければならない。

「インターネットとこれの企業組織版としてのイントラネットとが導入され、こうして電子情報にもとづく統御生産体制がつくられはじめている。トヨタ看板方式＝ジャスト just in time の電子版が、このイントラネットであり、現場だけではなく職場のすべての労働者が、四六時中コンピュータによって管理され統御され支配され隷属させられ搾取されることになったのである。kis (knowledge intensive staff) と呼ばれもする技術労働者も技能労働者も事務労働者も、いまや、擬声音を発する機械ではなく〝口をきく部分品〟として、電子情報をつうじて制御され管理され酷使される非人的存在たらしめられるにいたった。〝karoushi〟とテクノストレスに悩む労働者が累増しつつある。これが、晩期資本主義の企業組織体における賃労働者たちの、物質的にも精神的にもより一層疎外を深めている現実の姿なのである。

　それにもかかわらず、電子情報を物神化したイデオロギーが、既成労働運動指導部の階級協調主義ならびに労働組合組織の企業組織体への組みこみという政策の是認に深くむすびついて、上から注ぎこまれている。肉体的限界にいたるまでの酷使に精神的空洞化がくわわって、人間労働の資本主義的疎外は極点にたっしつつある。それだけではない。たたかう労働者たちにたいしては、謀略の嵐さえもが吹きまくっているのである。」（黒田寛一著『実践と場所』こぶし書房刊、第二巻三四一頁）

(3)　労使協議に埋没する本部を弾劾せよ！

　本部は郵政当局によるテレマティクスの全国拡大に呼応して、郵便物の減少と荷物の増大という郵便物流構造の変化に対応する事業構造の改編とそのための「オペレーション改革」をみずから要求し労使協議をつみかさねてきた。本部は労使協議の場で、「AI化をすすめることは必要だ」と賛美しこの施策のスムーズな実現を要求してきたのだ。本部は〝労務管理の強化と誤解されないように実施してください〟と郵政経営陣に哀訴し懇願している始末だ。さらに経営陣との労使協議の内容を下部機関におろし、「現場目線でより実効性あるものにせよ」とテレマティクスを首尾よく実施せよと号令をかけているのが本部だ。郵政当局によるテレマティクスの全国拡大によって、郵政労働者はいっそうの労働強化を強いられ、AIを活用した当局者によって肉体的にも精神的にも支配され労務管理される労働者としてますます疎外労働の深淵に叩きこまれてしまうのだ。本部がこのような反労働者的な対応をとるのは、労働者と資本家の階級対立を否定した階級宥和思想にもとづく労使協議路線にどっぷりと浸かっているからにほかならない。

　たたかう郵政労働者は本部の全面協力に抗し、テレマティクスの全国拡大反対、テレマティクス導入による人員削減、労働強化、労務管理の強化に反対する闘いを職場深部から断固として創造していくのでなければならない。わが戦闘的・革命的労働者は職場組合員に不断に働きかけ共にたたかうことを訴え、最先頭でたたかうのでなければならない。ＪＰ労組本部の階級宥和思想にもとづく労使協議路線への陥没を許さず、本部の政策提言・生産性向上運動をのりこえたたかおう！　この闘いのただなかで組合組織を断固強化しよう！　さらに一切の闘いのただなかで郵政職場に革命的ケルンを創造しよう！
共にたたかわん！

註1　配達、配達順路、配達軌跡

配達ないし配達労働は、集配労働者が受け持ち地域で郵便物を宛名の受取人に届けるためにおこなう労働のことであり、①配達すべき郵便物の確認、②配達箇所への移動、③配達箇所での受取人への郵便物の交付、から成り、集配労働者は持ち出した郵便物の配達が終わるまでこれをくりかえす。集配労働者が郵便の配達（①、②、③）をくりかえして移動する経路のことを「配達順路」と呼ぶ。「配達軌跡」は集配労働者に携行させたスマートフォンのＧＰＳが一秒ごとに発する位置情報の点を結んで線として表示したものである。郵政当局はこの「配達軌跡」を「配達順路」と同じものと扱っている。

テレマティクス（Telematics）という用語について郵政当局は次のように「説明」している。――Tele-communication（通信）とInformatics（情報工学）を組みあわせた造語。自動車（ないし二輪車）に設置するインターネット接続可能な車載器などの端末と通信システムを組みあわせ、リアルタイムに様ざまな情報を提供する技術・サービスのこと。

註2　経営陣は二〇一八年より実証実験を開始し、現時点では①都市部の郊外と中山間地の郵便局（旧集配センター）の全通配区にスマートフォン端末約一万五〇〇〇台を配備し、すでにテレマティクスの運用を開始している。②二〇年二月からは都市部の郵便局（旧支店）にたいして、選定した約二〇〇局にスマートフォン端末八〇〇〇台を配備した。配備した郵便局では約六ヵ月をかけて配達順路の見直し、区画調整、通区訓練などに使用し、その後に次の郵便局に端末を移動させ、おおむね三年で全国の郵便局を網羅するように運用することをうちだしている。

註3　「飛び地」とは、当該の配達区画から一部「飛んで」他の配達地域の一部に組みこまれている配達地域のことをいう。

〝資本主義の永続的発展〟を説く転向スターリニスト

——不破「恐慌の運動論」の犯罪性——

葦野　巌

＜パンデミック恐慌＞の進行のもとで、資本家どもはみずからの生き残りをかけ、労働者たちを解雇・雇い止めにしたり、休業手当さえ支払わずに「自宅待機」を強制したりしている。労働者たちは怒りに燃え、解雇撤回や休業手当獲得の闘いに起ちあがっている。労働者階級にとって、いまほど闘いの思想的＝理論的武器が必要とされているときはない。

このようなときに、日本共産党の〝老党首〟不破哲三は、〝マルクスは『資本論』を執筆していた一八六五年に「恐慌の運動論」を発見した。それ以後、恐慌を資本主義の必然的没落と結びつける見方を否定し、『共産党宣言』に書いた「恐慌＝革命」テーゼを撤回、「強力革命論」も否定した〟という主張をことあらためて吹聴している（『前衛』二〇二〇年五～六月号など）。〝マルクスは恐慌を正常な景気循環の一環〟と見ていたと強調することは、パンデミック恐慌下で失業と貧困にあえぐ労働者に、〝貧窮からの脱却は政府の経済政策によって資本主義経済を回復させることをつうじて実現できる。「革命」など考えるな〞と説教するに等しいではないか。転向スターリニストの反労働者的犯罪をこれ以上許すな！

本稿では、不破が開陳した「恐慌の運動論」なるものの批判をおこなう。〔以下、注記なき引用は『マルクス「資本論」発掘・追跡・探究』新日本出版社刊（二〇一五年）より〕

〝マルクスの「恐慌＝革命」説〟なる通説の右翼的否定

〝マルクスは恐慌を資本主義の必然的没落と結びつける見方を否定し、『共産党宣言』に書いた「恐慌＝革命」説を撤回した〟と不破はいう。だが、そもそも〝『共産党宣言』に書かれた「恐慌＝革命」説〟とはなんなのか。〝恐慌の勃発―→諸階級の蜂起―→労働者階級の勝利―→社会主義〟というような〝歴史の流れ〟が『共産党宣言』に書かれているとみなすのがスターリン主義者の「通説」であるが、それをうのみにしてきた者たちが、〝『共産党宣言』には「恐慌＝革命」説が書かれている〟とみなすのである。

だがマルクスは、『共産党宣言』において恐慌とその原因とみなした「近代的生産諸力」を「ブルジョアジー自身に向けられている武器」と記したうえで、「この武器をとるべきはプロレタリアである」と宣言している。恐慌という客観的諸条件の認識にふまえて、共産主義者は、プロレタリアを階級として組織し・組織されたプロレタリアートを支配階級に高めよと主体的＝実践論的に提起しているのである。このマルクスの実践的立場と哲学を完全に足蹴にしているのが、〝歴史の流れ〟に棹さすことをみずからの「たたかい」と考えるスターリン主義者なのである。

〔修正資本主義に転向した日共指導部を含むすべてのスターリン主義者は、党の方針や政策を、情勢分析で描いた〝歴史の流れ〟に棹さし促進するものとして提起している。その根底にあるのは、創造も廃棄もできない社会経済法則を作用範囲を拡げたり狭めたりして利用するというスターリンの法則利用論である。」

不破は、そういうスターリン主義者の「通説」を受けつぎ『共産党宣言』を書いたマルクスを「恐慌＝革命」説の提唱者と歪曲したうえで、マルクスはその後にその説を否定したなどと称しているのである。それは実践的には、恐慌が勃発しているもとにおいてプロレタリア革命実現のためにたたかうことを全否定するものである。これは二重の犯罪だといわなければならない。

さらに不破は〝恐慌＝資本主義の必然的没落説を マルクス自身が否定した〟と語っている。だが、不破のいう〝恐慌＝資本主義の必然的没落説〟とは、実のところスターリン主義者の伝統的な「マルクス恐慌論」解釈なのである。『資本論』を〝資本主義の生成・発展・没落の歴史〟を反映したものとみなし、そのあちこちに触れられている「恐慌の可能性」とか「恐慌の一般的条件」とかについての論述を、それが「総資本＝総労働」という理論的レベルにおいて書かれたものであることを無視し、マルクスの「経済学批判体系プラン」でいう「世界市場恐慌」にまで連続化する解釈をおこなったのが、かつてのスターリン主義者であった。〔さらにそれを、帝国主義の時代における世界恐慌に、そして「社会主義への移行」にまで連続させる理論化もなされた。〕

マルクスは『資本論』において「恐慌の可能性」や恐慌勃発の「一般的条件」について論述したとはいえ、「現実的恐慌」の具体的分析は「全商業世界を一国とみなす」という経済学本質論としての『資本論』の理論的レベルにおいてはできないことを示唆していた。そして「世界市場恐慌」は国家や外国貿易などを措定した「後半の体系」の末尾において、すなわち本質論としての『資本論』とは異なる理論的レベルにおいて〔すなわち「産業資本主義段階論」にあたるものとして〕解明すべきことを明示していたのである。革命家マルクスにとって、革命運動や労働運動を前進させるためには彼がおかれた場所の政治経済分析をいわば「現状分析」としておこなう必要を認識していたといえる。

こうしたマルクスの追求を完全に無視したのが伝

統的スターリン主義者の「マルクス恐慌論」解釈であり、その錯誤をそっくり引き継いだうえで〝マルクスは恐慌をくりかえしながら資本主義は発展しつづけるという見方に変わった〟などとマルクスを資本主義美化論者にまで貶めているのが不破なのである。このマルクスにたいする冒瀆を絶対に許してはならない。

恐慌＝「市場経済の調整作用の一時的攪乱」説の錯誤

不破は、『資本論』第二巻第一草稿（一八六五年）の中から次の一文を抜きだし、ここにマルクスの発見した「恐慌の運動論」が著されているという。

「もしも銀行が資本家Aに、彼が彼の商品に対する支払いのかわりにうけとった手形にたいして（割引で）銀行券を前貸しするか、あるいは直接に、まだ売れていない彼の商品にたいして彼に銀行券を前貸しするかするとすれば、……それによって流通過程が短縮され、再生産過程が加速される……この過程を通じて、販売が現実の需要から独立し、架空のW—G—Wが現実のそれに取って代わることができ、そこから、恐慌が準備される。」（不破、前掲書一六八頁より重引）

不破は、右の引用文中の「銀行」を「商人資本」に読みかえたうえで、〝恐慌の可能性は、商人資本のうみだす「架空の需要」にもとづいて資本が「生産のための生産」に突き進むことによって現実化する。これこそがマルクスの解明した「恐慌の運動論」だ〟とのたまうのである。

商品の過剰生産を恐慌の原因とみなす点において、不破の「恐慌の運動論」なるものは、スターリニストの伝統的な「商品過剰生産（過少消費）恐慌」論の焼き直しであるといえる。スターリニストは『資本論』の各所からその論理的構成を無視して文章を抜きだし（註1）、これに「生産の社会的性格と取得の私的性格との矛盾」というエンゲルス命題をあてはめ解釈することをもって「恐慌の必然性の解明」

と称してきた。

この伝統を踏襲したうえで不破は、〃「恐慌の可能性」は商品経済一般に見られる「販売と購買の分離」によって措定される。そして資本制生産においては、生産力が飛躍的に発展するいっぽう、労働者の賃金は低く抑えられることによって、商品生産が労働者の購買力をつねに上回る。これが「恐慌の根拠」である〃という。

だが、「恐慌の可能性」と「恐慌の根拠」の解明だけでは「恐慌論で一番大事なこと」が明らかにならない、と不破は称する。いわく、「資本主義の市場経済は、不均衡や撹乱が生まれたら、逆作用で均衡をとりもどす調整作用、例えば需要と供給の調節作用などを、その内部にもっている」にもかかわらず、「なぜ、生産と消費の矛盾の場合には、均衡条件の破壊やあれこれの撹乱が生まれたとき、均衡を回復させる市場経済の調整作用が働かないのか」が問題なのだ、と。そしてその〃犯人〃こそ、「商人資本」がうみだす「架空の需要」なのだ、というのである。

ここに不破の邪悪な意図がこめられている。過去のスターリニストが、エンゲルス命題（その問題点はいまは措く）に依拠し、恐慌現象の底に賃労働と資本の「敵対的な分配関係」（『資本論』第三巻第三篇第十五章）があると説いたのにたいして、不破は、こうした〃階級的視点〃を最期的に葬りさり、恐慌の原因を、たんなる「市場経済の調整作用」の撹乱として描く。そうすることによって「資本主義没落の必然性」という命題を徹底して否定しているのである。

不破はシレッとしてのたまう。「新しい見方では、恐慌は、資本主義が『没落』過程に入ったことのあらわれではなく、資本主義に特有の産業循環の一局面にすぎず、資本主義は、この循環を繰り返しながら上向的発展を遂げてゆくものなのだ、ということになります」と。ふざけるな！ 周期的な恐慌の「循環」とは、賃労働者にとって、〃周期的に働くことを禁じられる〃こと以外のなんであるのか。労働者の苦悩と無縁な地平において、資本主義の「上向的発展」なるものを賛美するこの腐敗！

このように不破が〝恐慌は「市場経済の調整作用」が「架空の需要」によって一時的に撹乱された状態でしかない〟と強弁するのは、今日の日共の基本路線——現存資本主義を「ルールある資本主義」に改良していくというそれ——を基礎づけるためであることはいうまでもない。「市場経済を通じて社会主義に進む」ことこそが「法則的な発展方向」(党綱領)などとする彼らにとって、「市場経済」における「恐慌の必然性」を認めるのはまことに都合が悪いのだ。恐慌は産業循環における一時的なものであり、政府の政策によって「商人資本」の投機的行為を抑制しさえすれば回避できる、とおしだしたいのである。そのために不破は、マルクスのいう恐慌の「可能性」と「根拠」との論理的関係を何ら考察せず意図的に曖昧にした「恐慌の運動論」などというカテゴリーをねつ造したのだ。それは、不破じしんが、幾度もの恐慌を経てなお資本主義が「発展」しているとみなし〝資本主義市場経済の生命力〟のまえに頭を垂れたからなのである。

だが、いまなお資本主義が延命しているのは、ひとえにスターリニストどもが革命ロシアを変質させ、世界中で労働者階級の闘いを裏切りつづけてきたからにほかならない。〈アンチ革命〉に転落した醜いおのれの甲羅に似せて〝「恐慌＝革命」論を否定したマルクス〟などという虚像をでっちあげているのが不破なのだ。絶対に許すわけにはいかない。

「商品過剰生産恐慌」論の焼き直し

不破の「恐慌論」は、「資本の過剰の露呈」という恐慌の本質を隠蔽するインチキ理論にほかならない。

まずもって、〝恐慌トハ「生産と消費の均衡の撹乱」デアル〟などというのは、粗雑な現象論でしかない。マルクスは言っているではないか。「個々の商品ではなく資本の過剰生産——といっても資本の過剰生産はつねに商品の過剰生産を含んでいるのだが——の意味するものは、資本の過剰蓄積以外のなにものでもない」(『資本論』第三巻第三篇第十五章)と。

そもそも、「たんなる商品過剰であるならば、あるいはまた再生産表式でしめされるような均衡の攪乱＝不均衡であるならば、それは、市場価格の変動を通じての価値法則の貫徹によって現実的に解決されていくのであって、必ずしもつねに恐慌として爆発するわけではない」（黒田寛一『資本論以後百年』こぶし書房刊、一四四頁）のである。問題は、恐慌がなぜ周期的に爆発するのか、その法則性をとらえることにある。

その手がかりは、すでにマルクスが『資本論』において与えている。マルクスは、「資本主義的生産過程の攪乱や停滞、恐慌や資本の破壊を引きおこす」「資本の過剰生産」にかんして、次のようにいう。

「労働者人口に比べて資本が増大しすぎて、この人口が供給する絶対的労働時間も延長できないし相対的剰余労働時間も拡張できないようになれば……つまり、増大した資本が、増大する前と同じかまたはそれよりも少ない剰余価値しか生産しなくなれば、そこには資本の絶対的な過剰生産が生ずるわけであろう。」（『資本論』第三巻第三篇第十五章）

では、このように恐慌を引きおこす利潤率の急激な低下がなぜ周期的に引きおこされるのか。資本にとって労働力は「自ら生産することができない」（宇野弘蔵）ものであって、ただ固定資本の更新をつうじた資本の有機的構成の高度化によって相対的過剰人口を生みだすことができるだけである。ところが、好況期においては、概して資本の有機的構成の高度化をともなわないかたちで生産が拡大され、「やがては必ず賃銀の騰貴によってその利潤の急激なる低落をもたらさざるをえない」。この「利潤率の急激なる低落による資本の過剰」こそが「周期的恐慌現象」の「根本原因」である、と宇野は明らかにした。資本制経済における恐慌の必然性を「マルクスのいわゆる資本主義に特有なる人口法則」にもとづくものとしてとらえたのである。宇野がこのような解明をなしえたのは、彼が「労働力商品化の無理」にたいする「否定的立場」に立脚していたからにほかならない。

この宇野の解明にふまえて、われわれは次のようにいうことができる。

好況期における資本の有機的構成の高度化をともなわないかたちでの生産拡大によって労働力が逼迫し、これにともなう賃金の高騰によって産業資本の利潤率は低下する。この局面ではなお一般的物価騰貴によって利潤率の低下が隠蔽されているとはいえ、物価騰貴にともなって諸商品の投機的買い付けが拡大することによって商品在荷が増大し、さらに投機的買い付けのために資金にたいする需要が増大し逼迫することからして利子率は次第に高騰する。こうしてついには利子率が利潤率を上回る局面にいたると、産業資本の利払い不能があらわとなり、信用の撹乱が引きおこされる。およそこのようなかたちで資本の過剰が一挙に暴露されるのが恐慌だということである。

マルクス『資本論』のガイストの破壊

不破は、「恐慌論」を論じるにあたって、『資本論』から、「生産と消費の矛盾」とか「利潤第一主義」とかといったみずからのテーゼに箔をつけるために役立つとみなした箇所だけを――それじたいマルクスの論旨を歪曲して――抜きだしているにすぎない(註2)。そのほかの箇所、とくに第三巻第三篇第十五章第三節「人口の過剰にともなう資本の過剰」などは、〝使えないもの〟とみなして無視しさっているのである。これは決定的なことである。

「資本過多は、相対的過剰人口をよびおこすのと同じ事情から生ずる」(マルクス)。資本はより大なる利潤を得て再生産を拡大するために、剰余価値をできるだけ多く搾取する方策をうみだす。労働時間の絶対的延長や労働強度の増進、そして直接的生産過程の技術化をつうじて労働生産性を向上させる方法がそれだ。

「資本の有機的構成の高度化によって資本の生産力はより一層向上することになる」が、「このような資本構成の高度化の反面は、資本の生産過程からの諸労働者の放逐であり、相対的過剰人口の創出である」(黒田寛一著『賃金論入門』こぶし書房刊、一一九頁)。そして、まさにそれらの限界露呈においてあらわれるのが資本の過剰生産なのである。

ここにおいて賃労働者は、みずからの労働力を販売するいがいに一切の生活手段を得ることができない存在であるがゆえに、絶対的貧困・飢餓に突き落とされる。まさに労働者がその身を削ってうみだした巨大な「富」が、労働者じしんの生存を否定するという、許しがたいパラドクスにほかならない。

マルクスがこのことをあばきだしえたのは、「彼らの労働が資本を増殖するあいだだけ労働を見出す」(『共産党宣言』)賃労働者の立場に確固としてたっていたからにほかならない。恐慌を〈賃労働と資本の矛盾的自己同一〉のあらわれとしてとらえかえすという立脚点・視点をつらぬいたのである。

ところが不破の関心は、市場において商品の価値が首尾よく実現されるか否かにしかない。それはこの男が、資本制市場経済の「健全な発展」をこいねがう立場から、恐慌現象を「市場の調整機能」の一時的な撹乱として、ノホホンとその外側から眺めているにすぎないからなのである。

そもそも不破は、〝搾取とは「賃金などの労働条件」を「引き下げ」ること〟(前掲書)などと、卑俗かつ結果的にとらえてすませている。直接的生産過程の前提をなす商品＝労働市場において、労働力商品をその価値どおりに購買した資本家が、彼の直接的生産過程においてこの労働力商品の使用価値を、商品市場で購入した生産諸手段の使用価値とともに現実的に消費する。直接的生産過程に投げこまれ生産諸手段との交互作用に入った諸労働力は生きた労働となり、剰余価値をうみだす。これらの解明をぬきにして「搾取」を論じることなどできない。〔生産過程における剰余価値の生産が首尾よくおこなわれない場合には、次なる労働市場において労働力商品と貨幣との交換もなされないことになる。マルクスが「彼ら（＝賃労働者）は資本家階級のために有利に充用されうる限りでのみ充用される」というゆえんである。〕

このように、マルクスが『直接的生産過程の諸結果』で追求した、労働市場と直接的生産過程の連関構造、その立体的な把握を、完全に無視してかえりみないのが不破である。それゆえに、マルクスが『資本論』第三巻第十五章において、なぜ「〔労働者〕人口」と資本との関係に、あるいは資本の生産過程で結合される「生きた労働」と「死んだ労働」との関係に着目しているのか、不破はまったく理解することができないのだ。労働者階級の苦悩から遊離しきった転向スターリニストの腐敗を、いまこそ怒りをこめて弾劾せよ！

われわれは、自民党政権による〈パンデミック恐慌〉の犠牲を労働者・勤労人民に転嫁するいっさいの攻撃に反撃する闘いを、日共による政策対置主義的歪曲をのりこえたたかおう。同時にそのただなかで、日本資本主義の〝健全な発展の可能性〟を吹聴し、反労働者的イデオロギーを流布する日共・不破＝志位指導部の腐敗をあばきだす闘いを強化しよう。彼らのくびきのもとにある良心的党員・組合員たちを、わが反スターリン主義革命的左翼の戦列に獲得するために、さらに奮闘しよう！

註1　彼らが「商品過剰生産（過少消費）恐慌」説を基礎づける際に依拠してきたのは、主に『資本論』の

以下の箇所である。

・「販売と購買との対立」という「商品に内在的な……矛盾は、商品の姿態変換上の諸対立において、それの発展した運動諸形態をうけとる。だから、これらの形態は、恐慌の可能性を、とはいえただ可能性のみを、含む。」（第一巻第一篇第三章）

・「資本制生産様式における矛盾、――商品購買者としての労働者は市場にとって重要である。だが、彼らの商品の――労働力の――販売者としては、資本制社会はそれを最低限度に制限する傾向がある。」（第二巻第二篇第十六章）

・「あらゆる現実的恐慌の究極の根拠は、依然としてつねに、大衆の窮乏と消費制限――あたかも社会の絶対的消費能力だけが限界をなすかのように生産諸力を発展させようとする資本制的生産の衝動と比較しての――である。」（第三巻第五篇第三十章）

註2　不破は「生産と消費の矛盾」を論じたものとして、『資本論』の以下の箇所を抜きだしている。

「直接的搾取の諸条件とこの搾取の実現の諸条件とは、同じではない。……一方は社会の生産力によって制限されているだけであり、他方は……社会の消費力によって、制限されている。」（『資本論』第三巻第三篇第十五章第一節）

だが、マルクスはこれにかんして「労働者たちの消費能力は、……部分的には、彼らは資本家階級のために有利に充用されうる限りでのみ充用されるということによって制限されている」と述べている。マルクスは「社会の消費力」という場合にも、労働力商品が資本の価値増殖が可能になるかぎりでしか購買されないという本質的な事態との関係において論じているのだ。ところが不破は、〝労働者の賃金が低すぎ生活物資を購入できないことが問題〟というように、マルクスの展開を卑俗化して理解しているのだ。

また不破は、マルクスが資本主義の「利潤第一主義」を明らかにしているとして、次の箇所を引用する。

「資本主義的生産の真の制限は、資本そのものである。というのは、資本とその自己増殖とが、生産の出発点および終結点として、生産の動機および目的として、現われる、ということである。」（同第二節）

この箇所を不破は資本家の利潤欲を論じたものと解釈＝歪曲する。それは、物化された資本の運動を人格化する誤りにほかならないのだ。

систематически. Представители нескольких общественно-политических движений России левой ориентации обратились к ряду политических партий, приверженных учению Маркса и Ленина, организовать координационный центр для выработки и проведения единой тактики в политической борьбе. РПК вместе с рядом других партий поддерживает эту инициативу.

Желаем нашим японским товарищам из JRCL и всем участвовавшим в 58-й Международной антивоенной ассамблее успехов!

Да здравствует единство борцов за коммунизм!

Исполнительный комитет Российской партии коммунистов

04. 08. 2020

ロシア共産主義者党　サンクトペテルブルクを中心とする左翼組織。「スターリン主義の克服」を綱領に掲げている。労働運動にとりくむと同時に、マルクス主義学術シンポジウムの開催や理論研究にとりくんでいる。

государства полупериферийного капитализма. РПК призывала голосовать против путинских поправок в Конституцию. Раскол оппозиции на сторонников «против» и бойкота голосования помог режиму «продавить» поправки, которые отбрасывают Россию ещё дальше, в сторону монархического прошлого.

Империализм, или государственно-монополистический капитализм, — главная угроза народам мира. В его природе заложены мировые экономические кризисы. Но если до последней четверти XX века они отличались известной периодичностью, то начиная с 1970-х годов, межкризисные периоды непрерывно сокращаются: 1973 — 1997-8 — 2008 — 2014-5 — 2020 ... Последний мировой кризис, спровоцированный холодной войной и торгово-экономичесикм соперничеством США и Китая, дополнительно усилен пандемией. Глобальный империализм не в состоянии справиться с раздирающими его противоречиями. Ступенька между наивысшей стадией капитализма и переходной фазой коммунизма, социализмом, о которой писал Ленин в сентябре 1917, становится всё более и более узкой. Но сам по себе империализм эволюционно эту ступеньку не перейдёт. Только мировая революция как последовательность социалистических региональных революций может решить эту эпохальную задачу.

После реставрации капитализма на территории СССР и поражений социалистических проектов в странах СЭВ социалистический строй сохраняется и укрепляется на Кубе и во Вьетнаме. Острое классовое противостояние, в основном, в форме экономической борьбы наблюдается во многих странах Латинской Америки. Но настоящей революционной ситуации нет нигде. Одна из главных причин — кризис политического авангарда современного пролетариата, призванного вносить классовое сознание в ряды наёмных работников умственного и физического труда. Не преодолён на национальном и международном уровнях разброд среди коммунистических партий. Вы правильно пишете: «Повысить гнев трудящихся до уровня классового сознания, возродить пролетарскую классовую борьбу во всём мире!», «Крепить международное единство рабочего класса!» Но мы считаем, что нельзя ограничиваться призывами, нужно эту работу вести практически и

В Обращении организаторы Ассамблеи высказывают серьёзную озабоченность ситуацией в КНР. Противоречивый курс китайского руководства вызывает тревогу у марксистов во всём мире. С одной стороны, Китай демонстрирует огромные успехи в науке, технологических инновациях, образовании, космических исследованиях, примером чего служит первая станция-лаборатория на обратной стороне Луны. С другой стороны, провозглашённый курс «социализм с китайской спецификой» на практике, особенно в последнее время, оборачивается тем, что «специфика» дискредитирует социализм. Крупный капитал всё более «врастает» в плановую индикативную экономику, жёстко эксплуатируя при этом высококвалифицированный пролетариат. Последний порой отвечает забастовочной борьбой, получая поддержку от выпускников пекинских вузов, получивших в них хорошую марксистскую подготовку. Их по требованию хозяев арестовывают. Наше издание *Коммунист Ленинграда*, выписываемое JRCL , систематически освещает эти тревожные тенденции в политике нынешнего руководства КПК.

Исполком РПК благодарен Оргкомитету 58-ой Международной антивоенной ассамблеи за внимание, уделённое в Обращении к ситуации в России, где левые силы, включая РПК, ведут тяжёлую политическую борьбу против правящего режима

労働者革命党（ＥＥＫ） トロツキズムの流れを汲むギリシャの組織。

Российская партия коммунистов

Уважаемые товарищи, руководители JRCL-Японского союза революционных коммунистов, Дзэнгакурэн и Комитета антивоенной молодёжи!

Восхищаясь вашей верностью традиции ежегодно, в первое воскресенье августа, в очередную годовщину варварской американской атомной бомбардировки Хиросимы (а через 3 дня — Нагасаки), проводить международные антивоенные ассамблеи, мы особенно поражены созыву такой ассамблеи даже в столь трудных условиях пандемии COVID-19. Мы также огорчены, что пандемия помешала нам вовремя получить сообщение о 58 Ассамблее и ваше Обращение к её участникам. Так что с приветствием исполкома РПК участники Ассамблеи смогут ознакомиться только после её завершения.

Исполком РПК, в основном, согласен с классовым подходом JRCL в анализе новых угроз миру. Холодная война между США и Китаем и военно-морские манёвры двух ядерных держав у берегов Тайваня и в Южно-Китайском море, действительно усиливают общую напряжённость в мире, и бдительность терять нельзя. Однако при этом мы полагаем, что холодная война между США и Китаем вряд ли перерастёт в войну горячую. Во-первых, важный сдерживающий фактор — ядерный паритет. Во-вторых, политическая неопределённость в США, связанная с ноябрьскими президентскими выборами и массовыми непрекращающимися акциями против расовой и любой другой дискриминации. То и другое не способствует подготовке к столь крупной военной авантюре.

Workers Revolutionary Party (EEK)

Dear Comrades

The Workers Revolutionary Party — EEK of Greece salutes the 58th International Anti-War Assembly and joins our voice, our thought and our forces to your consistent struggle for an international mobilization against imperialist war, tyranny and mass poverty!

Particularly now, the "perfect storm" of an insoluble global capitalist depression and the coronavirus pandemic makes it more urgent than ever before to fight back and defeat the global capitalist system, which in its decay threatens now humanity and the natural environment with destruction of all life on the planet.

The terrible nuclear holocaust of Hiroshima and Nagasaki is a warning for all the oppressed and exploited peoples in the world. The US-China conflict as well as the imperialist war drive in the Middle East, in Eastern Mediterranean, in Africa and Latin America brings the Armageddon closer. But, from the other side, the mass popular rebellions in all Continents, from Lebanon to France and Chile, and especially, the rebellion in the center of global capitalism, the United States, shows that the international working class and the oppressed masses can defeat our common class enemy by revolutionary means.

Forward to an international anti-war class front against the warmongers of imperialism and against all the ruling classes!

For peace, bread and freedom — forward to the world socialist revolution!

on behalf of the Central Committee of the EEK
Savas Michael-Matsas — General Secretary

Left Radical of Afghanistan (LRA)

Dear comrades,

We are honored to extend our revolutionary salute to all of you for your brave struggle against imperialism and its war monger policies and destructive practices. We stand shoulder to shoulder with you in the battle for building a world based on peace, justice and humanity.

Today, more than anytime the imperialist countries endanger the whole planet with devastation through wild war, mass destruction weapons, nuclear weapon production competition, environment and eco system degradation.

It is the one percent capitalists that determine the fate of 99 percent of the entire world population. A small parasitic minority in order to meet its dirty benefits and accumulate the capital, keep continuing a brutal exploitation, violence and war, rasim and other kind of discrimination and oppression.

So, it is a priority and urgent task of all workers, youth and peace loving people around the world to moblize their forces and resist togather against inhuman capitlalist system, privatization, exploitation, war and eviroment degradation.

The workers of the world deserve to live in peace and enjoy a prosperous life. The only alternative which guarantees dignity, freedom, justice and development for 99% deprived people, is socialism and demolition of the private onwership of the means of productions.

In solidarity
Left Radical of Afghanistan (LRA)
Afghanistan

アフガニスタン急進左翼（LRA） アフガニスタンで反占領闘争をたたかっている左翼組織。

Antiwar Assembly.

Jussa K. and James S.
For the Workers International League (WIL-Zimbabwe) member of the FLTI

労働者国際同盟（WIL－ジンバブエ） ジンバブエを中心とする南部アフリカの左翼組織。FLTI に加盟している。

War Resisters League

Dear friends,

Please accept our warm greetings and our wish for a successful International Antiwar Assembly.

From here in the U.S., the War Resisters League — in the face of the pandemic — continues our work for a more just and peaceful world. We promote and take nonviolent action to end war and remove the causes of war.

Globally, we call for the removal of all foreign military bases including from Okinawa and in Japan. We are working to end U.S. weapons sales and for the elimination of repressive policing at home and abroad.

In solidarity.
John M. Miller
member, International Task Force, War Resisters League.
NYC

戦争抵抗者同盟　アメリカの反戦平和団体。2018年に亡くなったデヴィッド・マクレイノルズ氏はこの団体の指導者だった。

The Government of Zimbabwe declared a 21-day nationwide lockdown starting on 30 March 2020 ensuring the continuity of essential services. Following an initial extension of two weeks until 3 May, the Government announced the easing of lockdown regulations on 1 May allowing formal industry and commerce to resume operations, with specified measures in effect until 17 May, including mandatory testing and screening of employees whose companies were re-opening or those employees returning back to work for the first time since the initial lockdown. The informal sector as well as other sectors, including education, however remained closed. The lockdown was now been extended indefinitely with a review every two weeks.

Health workers have downed tools on several occasions in the past few months calling for authoritics to meet their demands. The strikes are exposing already vulnerable citizens who are struggling under the indefinite lockdown intended to contain the spread of Covid-19. Zimbabwe has 2,512 confirmed coronavirus (COVID-19) cases and 34 deaths as of Tuesday the 28th 2020.

In Zimbabwe today there is no more immediate task than to finish organizing a real revolutionary offensive, this time expelling and expropriating not only imperialism but also the black bourgeoisie, which for decades fought the anti-colonialist struggle of the masses of Africa and Zimbabwe. Workers in Zimbabwe are fighting sector by sector without uniting and have a big fight against the black bosses. Zimbabwe Congress of Trade Union and all unions can and should call a Congress of workers and poor peasants without delay, calling for committees of the unemployed, consumers, street vendors and students to conquer workers' and peasants' alliance and impose a general strike to expel imperialism and the IMF out of Zimbabwe.

The liberation of the workers will be the task of workers themselves! Zimbabwe will be socialist or will be a Wall Street colony.

Preparing, organizing and advancing towards the socialist revolution, together with the working class of all Africa and international is the task of the moment. There is no other way out. Otherwise, the exit will be given by imperialism with a double looting of Zimbabwe in all the nations of Southern Africa.

This is our strength, unity and international struggle! We do not forget; we do not forgive!

We wish you a revolutionary solidarity in your 58th International

Group, Colombia / Internationalist Workers League — Fourth International (LOI-CI) - Workers Democracy, Argentina / Workers' Advance "Black List" of Rio Santiago Shipyard, Argentina / Workers And Youth Revolutionary Committee for Self-Organization (CROJA), Brazil / Socialist League of the Internationalist Workers (LSTI), Peru

国際レーニン・トロツキー主義派（FLTI） 既成のトロツキスト組織の堕落を弾劾してたたかっている戦闘的左翼の国際組織。中心は南米アルゼンチン。

Workers International League (WIL-Zimbabwe)

Solidarity to the 58th International Antiwar Assemblies

From Southern Africa, we are sending to all you asking for partnership (collaborations) with you and Workers International League of Zimbabwe.

We have the same enemy in every corner of the world. Capitalism and state attacks to our lives everyday, stealing everything from us. They steal our freedom and our creativity, by obligating us to be the gears in its murderous social machine. They destroy our planet and all creatures living on it.

Workers International League fraction of the FLTI internationalist socialists are part of the fight of the Marikana workers and their widows and their demand for justice. We intervene in this call because from black Africa, from Zimbabwe, we fight alongside the teachers, the railroads, the health workers, Hwange miners, Vendors, calling for the Marikana program of R12,500 and the fight against the union bureaucracies to be a combat of the entire working class of the region, who are punished, suffering and a thousand times enslaved by the white imperialist masters. We fight internationally in Argentina, Palestine, Syria, Brazil, Tunisia, Egypt to mention few.

the treacherous leaderships to conquer the road to victory. This is the immediate task and the obligation of all the currents that claim to be of revolutionary Marxism.

Comrades

The best fighters of the working class are in the jails of the exploitation regimes. In Greece, the rebel youth has been in jail for many years. The prisons of Zionism and those of the fascist Al Assad are full with heroic revolutionaries. Thousands of them were brutally murdered. The Iranian clerics attacked the fighters of the working class, youth and working women, putting thousands of them in jail. The Chilean masses seek to release the best fighters of their first line from jail. In Bolivia, the relatives of the exploited massacred in Senkata demand justice and the release of the political prisoners. In Argentina, the former leader of GM workers, Sebastian Romero, is in prison, while the "Damocles Sword" still hangs over the workers of Las Heras and thousands of imprisoned. In Colombia or in the tormented China, thousands of workers and youth get kidnapped. The fight for the freedom of **all** the political prisoners of the world is a task and obligation that we raise together in a single cry against the exploiters and the repressors around the world.

This "dark century" of the rotten capitalist system must end! Imperialism must die! Let's not allow that the historical alternative be war and barbarism but the victory of the international socialist revolution!

We salute your 58th Antiwar Assembly

Paula Medrano, Carlos Munzer, Villacorta, Jussa K., James S. and Lourdes Fernández
For the International Coordination Secretariat of the Collective for the Refoundation of the Fourth International / International Leninist Trotskyist Fraction (FLTI)

Integrated by: Internationalist Workers Party — Fourth International (POI-CI), Chile / Workers International League (WIL), Zimbabwe / Paper "The Truth of the Oppressed", voice of the socialists of Syria and Middle East / Workers Democracy, Spanish State / Socialist League of the Internationalist Workers (LSTI), Bolivia / Internationalist Workers Nucleus (NOI), Colombia / Communards

The working class must "go back to normal", recovering militant internationalism

Comrades

The Black Vests in France claimed "Fear has changed sides!" in moments when the workers in England knocked down the statues of the enslavers in Bristol. The world working class is already fighting with their class brothers and sisters in the streets of New York, Detroit, Portland and Washington, where the shameless Trump had to hide in a bunker under the White House facing the rising of the black people and the workers. Meanwhile the masses wage huge revolutionary processes in Iraq, Lebanon and tough struggles against the Iranian theocracy, while the heroic resistance in Syria and Palestine is alive. In Chile, the exploited seek to enter once again to the first line of the fight of the workers of the world. It is time to coordinate the struggles of the international working class to strike as a single fist to the imperialist parasites.

Our fight for the re-foundation of the Fourth International is inseparable of our fight to rebuild the militant internationalism in the world workers movement, fighting to defeat the treacherous leaderships, agents of capital.

The workers must return to their "historic normal", re-taking the militant internationalism that the traitors of Stalinism , Social-democracy and the renegades of Trotskyism destroyed, subordinating the working class to its executioners.

The "new normal" should be the masses re-taking the path to the international socialist revolution. This is what preparing a strategic offensive of the working class is about. The objective prerequisites for the proletarian revolution are not only "ripe", but started to rot at extreme degree. There is no time to waste. It is needed to coordinate the struggles against dismissals and labour flexibility of the workers of Detroit with the workers of the Mexican maquilas. We have to unite the workers of Renault in Brazil with their siblings the dismissed workers in Nissan, Barcelona and Renault in France into a single fight against the transnational companies. Also, the unified struggle to get free health, defend the pensions and get decent work for all is a struggle of life or death for the world working class.

A new internationalist regrouping of the revolutionary Marxism is an imperious need to help the masses overcome the limits imposed by

Cone of Latin America, the world working class stands strong. There are conditions to prepare a strategic offensive.

The US working class is the iron fist of the workers of the world. In its offensive, it is in condition of stopping the imperialist war machine, as yesterday in Vietnam and later Iraq.

The black workers of Africa are taken as slaves to the imperialist Europe with shackles (as they were taken to the plantations of the white in southern USA centuries ago), see that this struggle of the black people inside the imperialist beast is their own struggle. The immigrant and undocumented workers, the Black Vests of Paris, rose to the cry "Fear has changed sides!"

The bourgeoisie sent its agents to the workers movement in USA, as we saw on July 20 and in every decisive struggle of the working class. They go to prevent the masses from setting up self-determination direct democracy armed organizations in their struggle, that is to say, **their own power**. Against them, the revolutionaries must fight in the heart of the masses to set up a supporting point for them to break and overcome the leaderships that at each step seek to disorganize their struggles and revolutionary assaults, dissolve their dual power organs and prevent the exploited from arming themselves.

It is indispensable to provide the working class and the rising oppressed the leadership they deserve to win.

So in USA the main task is no other than fighting to coordinate, expand, generalize, arm and centralize at national level all the self-determination organs that the exploited set up in their struggle in each city and state.

The disarming of the police puts the mass arming at the order of the day. The ones on the top don't represent us. The fighting in the streets is not to be delegated. Trump out! Out with the bourgeoisie and its parties from the workers organizations! The decisive strength of the American workers will come from their support to the struggle of the workers and subjugated people of the world.

To stop the offensive of the capitalists, to recover the houses, to get bread, free health and education, work and a decent life, the socialist revolution must win in USA. Fighting for the Socialist United States of North, Central and South America is a task of the entire world working class.

attacked all the workers' gains with 24 governors today as yesterday with Obama. The masses don't let the reformist left subject the working class to the Democrats. "Dissolve the police!" They insist. Besides the uprisings in the cities, the 29 ports in the US west coast were paralyzed. As black lives matter and the lives of the entire working class deserve to be lived, the exploited took over the central police station in Seattle. In Detroit, tens of thousands of workers refuse to enter to produce in the factories as they don't want to die of Coronavirus. More than 50 cities in USA are today revolted. With the cry "our streets", they kicked out the white supremacists and defend the streets from the repressive forces with barricade fighting.

A gathering of old union leaders and Stalinism tried to place itself once again in this mass uprising to control it again. This is what the symbolic July 20th day of action they called was about. The union bureaucracies weakened their own call as they reduced those actions to symbolic demonstrations and tried to add bourgeois, representatives and senators of the Democratic Party to convince the workers movement that their way out was to trust again in the Parliament and in the imperialist democracy of Wall Street pirates.

The response of the revolted masses did not take long. In Portland, where Trump sent the Federal Forces, the clashes have not stopped. The wall of mothers, then wall of fathers and now wall of war veterans are clashing every day with Trump's forces. As we are writing this message to your Assembly, in 45 cities there were actions taking place at the war cry "We are all Portland!" "Out with Trump!" "Feds Out!" and "Dissolve the police!"

Comrades

From the Collective for the Re-foundation of the Fourth International / FLTI, we take as our own what your appeal says: **It is time for a mass counter-attack.** Indeed, it is time to prepare a **strategic offensive** for the fight of the international proletariat. But for this to happen, it is not enough with the spontaneity and heroism of the exploited. This is an indispensable condition for victory. But without a revolutionary leadership, these attempts will be sought to be taken to new traps, diversions and class collaboration policies, promoted by all kinds of trade union bureaucrats and by Stalinism that put down the mass struggle and prepare hard blows of fascism.

There is no time to waste. In Middle East, France, USA, the South

Castroism or in Bolivia, where a semi-fascist coup d'état was imposed with iron and blood, which massacred the exploited in Senkata. The world working class is far from giving up.

As the 8 minutes 46 seconds that took the executioner's knee to choke George Floyd passed, the black people, the workers, millions of unemployed and rebel youth in the US broke out in huge struggles and **independent mass political actions.** These actions were a left blow on the infamous regime and the trap it had set on the exploited with **Sanders, backed by the entire American left, who returned to the Democratic Party to support Biden. This happened just in moments when the masses were turning left and, pushed by huge sufferings, they rose against the US regime, Trump's government and his repressive forces.**

The old and weakened AFL-CIO bureaucracy couldn't do anything to prevent a volcano eruption of the anger of millions of exploited. In more than 50 cities, centuries of hatred for the slavery of the black people burst out. Also, for the desperate situation, without a way out, of the more than 55 million unemployed, of the homeless and for the miserable wages that doesn't even reach 6 dollars an hour of millions of exploited treated in America as the US bourgeoisie treats the workers and subjugated people of the colonies and semi-colonies that plunders.

"Dissolve the police!" is the cry and the struggle of the masses. This is a direct clash to the heart of the bourgeois state, with its armed men gang. Police stations were raided. Some of them were burnt. A huge mass independent action has struck the ruling imperialist power inside of it.

In their struggle against Trump's government and the police, the exploited concentrate all their demands. The masses are convinced that they have to deal a heavy blow and defeat the government on the streets to advance in recovering their gains and put an end to their unbearable living standards. The oppressed don't enter the revolutionary processes with a book under their arms. The unprecedented sufferings push them to the revolutionary struggle.

In the spontaneous mass actions there's the embryo of consciousness, as Lenin said. The exploited distinguish their enemy. It's been more than 60 days of struggle and the reformist left cannot subject the working class to the Democratic Party again, the same party that has of its fleet to the China Sea are an example of the latter.

For its part, China once again offers its internal market to transnational corporations, eager for business, in order to try to revive their economy.

Meanwhile, entire regions of the planet are sinking into a well that appears to be bottomless. Oil-producing countries are bankrupt, including Russia, which has already seen its gas and oil exports drop by 50%. This has further accelerated the armoring of the fully Bonapartist regime in Putin's Russia.

Then, the "new normal" will be marked by the gross agonizing crisis of the world capitalist system and the deepening of the character of this time of crisis, wars and revolutions.

With hindsight from today's crisis, it is clear that in 1989 it were the traitors of the Stalinist bureaucracy who, handing over the conquests of former workers' states such as the USSR, China, etc. to the capitalist system, they gave it an abject survival in the last decades. The fresh blood injected into the sclerotic veins of capitalism is no longer enough for the body to live. Now they are going all the way.

"Greater China" and "Greater Russia" no longer have a place in the world market as they are today. The city of London, Frankfurt and Wall Street are fighting each other for taking them and they will be disputed nails and teeth. Moreover, the USA would not be able to continue maintaining its hegemony in the world market and risks entering into an open decline, unless it does conquer China and Russia, breaks them economically and financially or puts them under its military boot. This is the "new normal" that the imperialist pirates are preparing to be able to emerge from the catastrophe and crash. Here and there governments and regimes are armoring and Bonapartizing themselves.

But **in order for imperialism to advance to new superior offensives, it must defeat its own working class, something it is far from having achieved.**

And the working class wages battle

Comrades,

In this dark world, as you say, imperialism does not have an open road for its counterrevolutionary deeds and offensives. The workers and exploited still keep their huge energies, despite cruel and heavy defeats as in Syria, Ukraine, the final sell-out of Cuba to the US by *stantly frozen over*." We have entered a phase of depression and general impoverishment. Again the catastrophe is already here.

Comrades:

The year 2019 ended and as more and more the capitalist economy collapsed, new detachments of the world working class entered the battle in Hong Kong, Chile, Ecuador, or in Bolivia, where they faced a bloody military coup. Indomitable French working class endlessly resisted the onslaught of the capitalists, and the masses of the Middle East returned to the fight, as huge revolutionary processes began again, such as in Lebanon, Iraq, Sudan and Algeria.

The start of the Coronavirus pandemic undoubtedly served the bourgeoisie to stop the masses' offensive, to throw their crisis at them and to throw the worst of the hardships on their shoulders. Millions of workers were sent into the production process for the capitalists to keep their profits, bringing hundreds of thousands to die. In New York, thousands of black and Latino workers were buried in mass graves. In Italy and in the Spanish State, workers went on strike, as in automobile and steel mills, to prevent death caused by the pandemic. In China, the lives of thousands and thousands of workers were lost, which has been hidden by the sinister and semi-fascist government of the Communist Party. In Latin America, where the pandemic is hitting hard today, the exploited masses are left with the alternative of dying when producing in the factories or starving to death at home, and they again begin to take to the streets.

Imperialism announces that a post-pandemic "new normal" is coming. But the recipe they are preparing is not a new one. Absolutely not! Ahead is simply the worst attack on the exploited, the looting of oppressed peoples and the fierce scramble for markets in the world economy to a greater degree than that we have seen so far.

The Franco-German axis has decided to maintain its living space in Europe by giving "aid" and loans to the states that will seek to pay them back with their workers' blood, sweat and tears, as happened yesterday in Greece, Portugal, Spain, etc., and also in France and Germany itself.

In the United States, the Trump government orders workers to produce in factories under deadly conditions, while threatening the world with its gunboats if other imperialist powers or strong national bourgeoisies threaten its markets. The embargo on Iran and the dispatch same time disciplining the Moscow oligarchy, seizing all its assets and accounts abroad. This shows that no dominant imperialism withdraws nor will it withdraw peacefully from the control of the world economy. And this is the case of the United States, as if it does not want to begin an open process of decline, it must advance its strategy of colonizing or semi-colonizing China and Russia to keep their very profitable markets. This has to be done against the stiff competition already imposed by the Franco-German axis, which, at the head of Maastricht, is advancing steadfastly, contesting the various high-tech industries in the world economy.

Despite this, production in Europe and in Germany in particular, fell by 6.8%, while China remained stagnant with a growth rate of 2%. This has opened a **phase of depression of the world capitalist economy**, capital devaluation and a huge **crisis of overproduction**. The collapse at **USD 20 of the price of a barrel of oil** was only the thermometer of this new capitalist catastrophe ... Millions of workers lost their jobs. The most valuable commodity, the labor force, was wasted by millions in the world economy. Proof of this is that **200 million inhabitants of the planet were already migrating** in the 5 continents looking for a place to live and eat. Today we see how 55 million jobs have been lost in the United States alone, exacerbated by the crisis of the Coronavirus pandemic.

Comrades:

Covid-19 and the spread of the pandemic acted on an already sick and bankrupt capitalist system. This caused the suffering of the masses to worsen to extreme degrees.

Coronavirus came to deepen this crisis and this breakdown of the world economy. It sharpened the effects of the trade war between the imperialist powers to extreme degrees, as it imposed even more restrictions on world trade and produced a new leap in the closing of customs barriers.

World-economy is semi-paralyzed. Companies' inventories are saturated. The paradox of this bankrupt system is summarized in that in this crisis there are plenty of minerals, oil, food, factories, etc., while millions and millions of hungry and unemployed people do not find a place to live in this dirty prison in which this perfidious way of production has transformed the planet.

As you correctly put in your appeal, "*the world economy has in-*

parasitically on benefits that human labor has not yet produced. Capital goes out of production and goes to speculation and the withdrawal of fictitious profits without backing in goods. Thus they had fled the bursting of the housing bubbles of 2008 and the widespread bankruptcy of the banks. They threw, as they are trying to do now, their entire crisis at the oppressed peoples and workers of the world.

The bourgeoisie came out of the crash of 2008 making new bubbles such as "zero rate" loans, with which profits and super-profits were distributed and fictitiously raised the values of the shares. Meanwhile, they deepened the massive indebtedness of companies and states. In this new round of the crash, the debts of states and companies already amount to 230% of world GDP.

The US, the epicenter of the crash, has been throwing its entire crisis on the world. Its deficit is already $18 trillion. US imperialism captures the reserves of most of the countries that go to buy its bonds, while with the monetary emission of the Federal Reserve of already several trillion dollars it saves its financial oligarchy that is permanently on the brink of precipice and finances its military machine on the planet.

It is clear that if capitalism survives in such a marasmus and world crisis, it is because of the treacherous leaderships, the union bureaucracies, the Stalinists and the renegades of Marxism, who support it. There has been no country or continent in which the working class did not present a battle in recent years in the face of the attack and the crisis that this putrefying system threw at them. It was these leaderships that played their full role in betraying the mass uprisings, while with counter-revolutionary pacts the revolutionary processes of Syria and Ukraine were closed in and crushed and Cuba was handed over to imperialism.

Thus, the capitalist system was able to crawl out of the 2008 crisis, to find its way back to this new blow of the crash, but not before that 1% of imperialist parasites monopolized 50% of the planet's wealth.

The global division of labor has been broken. The world market is only shrinking. The United States, with Trump in its lead, in a fierce competition with imperialist Europe, had come out to defend its control of the world market with a tough trade war. With an aggressive policy, it advanced on China and the European Union itself, at the

Messages from Foreign Friends to the 58th International Antiwar Assembly

May 20th, 2020, Argentine

(Continued from No.309)

Fracción Leninista Trotskista Internacional (FLTI)

07 / 27 / 2020

The US working class is the iron fist of the workers of the world that hits the imperialist parasites

Comrades,

Months ago, towards the end of 2019, a new crash and breakdown of the rotting world capitalist system began. The same thing had happened in 2008. The financial oligarchy and the big capitalists seize

国際・国内の階級情勢と革命的左翼の闘いの記録（二〇二〇年八月〜九月）

国際情勢

8・4 レバノンの首都ベイルートで硝酸アンモニウム倉庫が大爆発、163人以上が死亡。政府の責任を追及し1万人がデモ（8日）。レバノン首相ディアブがデモや閣僚の相次ぐ辞任をうけ辞職（10日）

8・6 トランプが動画アプリ「TikTok」などを運営する中国企業バイトダンスに取引禁止の大統領令。アメリカ事業の90日以内の売却を命じる（14日）

8・9 **ベラルーシで大統領選、ルカシェンコ当選との発表にたいし独立系メディアが反対派チハノフスカヤ8割獲得と報道。** チハノフスカヤが国外脱出（11日）。ルカシェンコ退陣要求の集会・デモが続く

▽アフガニスタン政府がタリバン捕虜400人の解放を決議。政府とタリバンが和平協議開始（9月12日）

8・10 **台湾を訪問した米厚生長官アザーが総統・蔡英文と会談しトランプの「強い支持」を伝達**

▽香港で周庭や黎智英ら民主派10人が国安法で逮捕

8・13 **イスラエルとアラブ首長国連邦が国交樹立で合意したとトランプが発表、3国政府が共同声明**

8・14 米司法省が、ベネズエラに向かっていたイランのタンカー4隻を拿捕したと発表

8・17 米海軍主催の環太平洋合同演習「リムパック」がハワイ周辺で開始（〜31日）、日本を含め10ヵ国参加

8・20 米民主党大会（17日〜）で大統領候補のバイデンと副大統領候補の上院議員ハリスを正式に指名

▽米国務長官ポンペオが「イランへの国連制裁の復活

国内情勢

8・3 経団連が春闘の最終集計を発表。賃上げ率が前年比で0・31ポイント下落し2・12％に

8・4 **自民政調審議会が「相手領域内でミサイルを阻止する能力保有」を承認し首相に提言**

▽韓国の元徴用工賠償訴訟での日本製鉄の韓国内資産差し押さえ「公示送達」の効力が発生

▽横浜市が育鵬社版歴史・公民教科書の来年度不採択を決定。大阪市・松山市も（25日）

8・7 6月の給与総額は前年同月比1・7％減の44万3875円で3ヵ月連続マイナス

8・10 新型コロナウイルス感染者数が累計で5万人を超える（過去1週間で1万人増加）

8・11 6月の国際収支速報値で経常収支の黒字額が前年同月比86％超のマイナス

8・12 広島原爆「黒い雨」訴訟で政府が広島県・市当局を従え高等裁判所に控訴

8・13 **北海道寿都町長が高レベル放射性廃棄物最終処分場の文献調査への応募を表明**

8・15 韓国大統領・文在寅が光復節の演説で日本側に対話を呼びかける。日本政府は無視

▽東シナ海で海上自衛隊護衛艦「すずつき」が米海軍ミサイル駆逐艦マスティンと共同訓練（〜17日）。沖縄南方海域では海自護衛艦「いかづち」が米空母ロナルド・レーガンなどと洋上補給訓練（〜18日）

革命的左翼の闘い

8・1 全学連九州地方共闘会議が習近平政権の香港人民弾圧を弾劾し中国総領事館前で抗議闘争（福岡市）

8・2 **第58回国際反戦集会を全国7ヵ所で盛大に実現**（東京、北海道、東海、北陸、関西、九州、沖縄）。〈パンデミック恐慌〉下で時代は米中冷戦へと大きく旋回し、米中の軍事的対抗が熱核戦争に転化しかねない危機を突き破る決意と革命的反戦闘争の指針をがっちりとうち固める。海外12ヵ国17団体（その後2団体追加）から熱い連帯のメッセージ。厳戒態勢を突き破った5・8首相官邸前闘争にはじまる全学連・反戦青年委員会と各大学の闘いを活写したビデオを上映。教育現場で奮闘する労働者と全学連・風間副委員長が闘いの報告と決意を表明

8・8 金沢大学共通教育学生自治会が「敵基地攻撃力NO！平和行進」（金沢市）に結集、アメリカと一体での対中国先制攻撃体制の構築を許すなと訴える。150名の労働者・市民とともに金沢市街をデモ。わが同盟情宣隊が檄

8・31 北海道釧路で陸上自衛隊戦車部隊

手続き開始」と安保理に通知、仏独露は「米に復活手続き開始の権利はない」と主張。イランが国内2ヵ所の核査察受け入れをIAEAと合意（26日）
▽**ロシアの反体制派指導者ナワリヌイが飛行機内で意識不明に。独に移送し**（22日）**治療**。独首相メルケルがロシアに毒物使用の疑いで捜査を要求（24日）
8・21　リビアで暫定政権と東部勢力が停戦を発表、来年3月の大統領選・議会選実施を確認
8・23　米ウィスコンシン州で黒人男性が白人警官に背後から銃撃され重体、以後連日の抗議行動。デモ隊に向けて極右少年が発砲し2人死亡（25日）
▽中国海事局が渤海・黄海・広東省沖・南シナ海の四海域で22～24日に海軍の演習を相次いで開始と発表。中国軍が南シナ海に向け中距離弾道ミサイル（「空母キラー」「グアムキラー」）4発を発射（26日）
8・25　米大統領候補指名の共和党大会（24～27日）に国務長官ポンペオが訪問中のエルサレムから録画演説
▽東地中海のガス田開発をめぐり対立するトルコとギリシャが権益を主張する海域で軍事演習。仏・伊・ギリシャなど7ヵ国がトルコに撤収求める（9・10）
8・28　「ワシントン大行進」から57年目、ワシントンで「人種差別撤廃」を掲げ大規模な集会
8・30　**チェコ上院議長ビストルチルを団長とする90名が台湾を訪問**。欧州歴訪中（25日～）の中国外相・王毅が「重い代償を支払わせる」と非難（31日）
9・4　セルビア大統領ブチッチとコソボ首相ホティが米ホワイトハウスで会談し経済関係正常化を合意。コソボのイスラエルとの国交樹立、セルビアの在イ

▽首相・安倍晋三が全国戦没者追悼式で「積極的平和主義」を鼓吹。閣僚4人が靖国神社参拝、現職閣僚の「終戦の日」参拝は4年ぶり
8・17　**4～6月期のGDP成長率速報値が年率換算で27・8％減、戦後最大の落ち込み。改定値で28・1％減に下方修正**（9月8日）
8・18　東シナ海、日本海、沖縄周辺の上空で航空自衛隊戦闘機F15などが米戦略爆撃機B1やステルス戦闘機F35Bと大規模共同訓練
▽自民党の議員連盟が感染症を「改正憲法」の「緊急事態条項」適用対象とする案を提言
8・20　東京地検特捜部がカジノをふくむIR誘致をめぐり衆議院議員・秋元司（自民党を離党）を証人等買収容疑で逮捕
8・21　20年度最低賃金は全国平均で時給1円増
▽7月の訪日観光客が前年同月比99・9％減
8・24　安倍の連続在職2799日で史上最長
8・25　国会議員・河井克行、案里夫妻の公職選挙法違反事件初公判
8・28　**安倍が辞任表明。革命的左翼を先頭とする闘い、労働者・人民の怒りに政権投げだし**
▽大阪府議会で日本維新の会主導の「大阪都構想」制度案を賛成多数で可決。大阪市議会でも可決（9月3日）。11月1日住民投票へ
8・29　自民党幹事長・二階俊博が官房長官・菅義偉に総裁選挙出馬をうながす。二階党執行部が両院議員総会での新総裁選出方針を決定
▽防衛相・河野太郎が米国防長官エスパーとグアムで会談。中国の南シナ海軍事拠点化阻

の市街移動演習阻止闘争。北海道平和フォーラムの阻止行動に多くの労働者・市民が決起
9・6　神戸大生の会と奈良女子大学学生自治会が「老朽原発うごかすな！大集会inおおさか」（大阪市）に決起。全国から結集した1600名の労働者・学生・市民に「全原発・核燃料サイクル施設廃棄」「『敵基地攻撃』の軍事体制構築を許すな」と呼びかける。御堂筋をともにデモ
9・11　辺野古新基地の設計変更に抗議し工事即時中止を要求する緊急集会（オール沖縄会議主催、那覇市）に200名が結集。たたかう労働者が奮闘
9・17　沖縄県学連が辺野古新基地埋め立て工事資材搬入阻止闘争に決起。菅政権による日米新軍事同盟強化の攻撃を打ち砕く決意に燃えて、100余名の先頭でキャンプシュワブ・ゲート前座り込み闘争
▽全学連北海道地方共闘会議と反戦青年委員会が菅政権の反動攻撃に反対する自民党道連への抗議闘争に勇躍決起（札幌市）。「敵基地先制攻撃の軍事体制構築反対！改憲阻止！」の横断幕を掲げ怒りのシュプレヒコールを叩きつける

スラエル大使館のエルサレム移転を米政府が発表
▽台北市で日・米・EUの窓口機関が台湾外交部と経済フォーラムを開催、訪台中のチェコ上院議長を招く
9・6 香港で立法会選挙1年延期や国安法に抗議デモ
▽ベラルーシでルカシェンコ退陣を求める10万人超のデモ。反体制派幹部コレスニコワが国外退去を拒否し拘束（8日）、15万人が反政府デモ（13日）
9・7 中国・インド国境地帯ラダックで両軍が発砲。両国外相がモスクワで緊張緩和を確認（10日）
9・8 G7外相がナワリヌイに神経剤使用の露を非難
9・9 東アジア首脳会議外相会議でポンペオが「中国の南シナ海領有権主張は違法」と非難、王毅は「米が解決を妨害」と応酬
▽英ジョンソン政権が発効済みのEU離脱協定の一部を反故にする案を含む法案を下院に提出、EU首脳が非難。英下院が法案を承認（14日）
9・11 **イスラエルがバーレーンと国交正常化を合意、両国首脳と米トランプが共同声明で発表**
9・14 プーチンがロシアのソチでルカシェンコと会談、軍事協力・経済統合推進を表明
▽中国・EU首脳がテレビ会議、香港・ウイグルの「人権問題」や南シナ海軍事拠点化で対立
9・16 米FRBが23年末までのゼロ金利政策を決定
▽米国防長官エスパーが日本を含む全同盟国にたいして軍事費のGDP比2％以上への引き上げを要求
9・18 米国務次官クラックが台北で蔡英文らと会談、戦略物資供給網の構築などを合意。台湾元総統・李登輝の告別式（19日）にクラックや森喜朗らが参列。中国が「国家主権の侵害」と非難（20日）

止、ミサイル防衛での相互連携を合意
9・2 菅が総裁選立候補を表明、「安倍政権の基本路線継承」をおしだす。細田・麻生・竹下の3派閥会長が共同記者会見で菅支持
▽原子力規制委員会が使用済み核燃料「中間貯蔵施設」（青森県むつ市）の審査書案を了承
▽東京電力福島第一原発建屋で高濃度の放射性廃液漏洩事故が発生
9・8 経済協力開発機構（OECD）が加盟各国のGDPに占める教育への公的支出の比率を発表、日本は下から2番目
9・10 立憲民主党と国民民主党などとの合流新党の代表選で代表に枝野幸男を選出、党名は「立憲民主党」に決定
9・11 首相・安倍が「敵基地攻撃能力保有」にかんして年末までに方策を示すとの談話を発表
9・14 自民党総裁選で菅が7割の票を獲得して選出、2位は岸田文雄、3位は石破茂
9・15 自民党新役員決定。幹事長は二階再任
▽**合流新党「立憲民主党」が結党大会**。新「国民民主党」設立、代表に玉木雄一郎。旧同盟系民間労組出身議員は国民4人、無所属5人
9・16 **衆参両院で菅を首相に指名**。日共は枝野に投票、他党候補者への投票は22年ぶり
▽菅内閣が発足。官房長官・加藤勝信、行政改革相・河野太郎、デジタル相・平井卓也など。菅は「めざす社会像は自助・共助・公助」「デジタル庁設置」「行政の縦割り打破」

9・19 **全国から結集した全学連のたたかう学生が菅政権発足直後のこの日、NSCの本拠地・首相官邸前に登場し〈反戦反安保・反ファシズム〉の闘いの巨弾を叩きこむ**。有木全学連委員長が「菅新政権にたいして私は断固たる闘争宣言を発する。敵基地攻撃体制の構築を粉砕せよ。『自助』をふりかざした労働者・人民への犠牲強制を打ち砕け」と発言。首都・各地方の学生が次々にアジテーションをくりひろげる
▽全国から結集した闘う学生が「戦争法廃止」の国会前集会（総がかり行動実行委）に決起。全国各大学ののぼり旗を立て国会前を戦闘的雰囲気に包む。わが同盟が情宣、「菅新政権の反動攻撃を打ち砕こう」と呼びかける
▽北海道大学のたたかう学生が「戦争をさせない北海道委員会」の「総がかり行動」（札幌市）で奮闘。わが同盟が情宣、「総選挙対策に埋没する既成指導部をのりこえ〈反戦・反ファシズム〉の闘いを！」と訴える
▽鹿児島大学共通教育学生自治会が「戦争法強行採決5年 かごしま行動」（鹿児島市）に結集、「菅政権による馬毛島への軍事基地建設阻止、敵基地先制攻撃の体制構築反対」を労働者・市民270名に呼びかける

▽中国軍が台湾海峡付近で軍事演習を強行。中国軍機19機が台湾の防空識別圏に進入（19日）

9・19 タイで王制改革や新憲法制定を求め5万人がデモ。学生らが10月中旬に大規模ストを訴え（24日）

▽ＴｉｋＴｏｋの米事業を引き継ぐ新会社をオラクルなどと提携させることを米政府が承認。バイトダンス社が配信禁止の一時差し止めをワシントン連邦地裁に請求（23日）。地裁が差し止めを命令（27日）

9・21 ロシアがカフカス地方で中国・ベラルーシ・イランなど6ヵ国との8万人規模の軍事演習（～26日）

▽ＥＵ外相理事会にチハノフスカヤを招き支持を表明

▽ＷＨＯが新型コロナウイルス・ワクチンの共同購入・分配の枠組みＣＯＶＡＸに170以上の国・地域が参加と発表、アメリカ・中国・ロシアは不参加

9・22 国連総会の一般討論でトランプと習近平が新型コロナ・パンデミックをめぐり非難の応酬

9・23 欧州委員会が移民・難民受け入れにかんする新協定案、イタリア・ギリシャなどの負担軽減策

9・24 米軍元幹部や元政府高官500人が11月大統領選挙で民主党バイデンを支持すると公開書簡発表

▽パレスチナのファタハとハマスがトルコで会合、自治政府議長選・評議会選の6ヵ月以内実施を合意

9・26 トランプが死亡した最高裁判事ギンズバーグ（リベラル派）の後任に保守派のバレット指名を強行

9・27 アゼルバイジャンのナゴルノカラバフ自治州でアゼルバイジャン軍がアルメニア軍と戦闘を開始

9・29 トランプとバイデンが大統領選の第1回テレビ討論で非難の応酬

をうちだす。防衛相・岸信夫に「ミサイル阻止」の新方針年内決定・実施を指示

▽日立がイギリスでの原発開発計画から撤退

9・17「連合」が中央執行委員会で次期衆議院選挙での立憲民主党支援を決定。国民民主や無所属への支援も「検討」

9・18 ジャパンライフ元会長・山口隆祥（安倍が「桜を見る会」に招待）が詐欺容疑で逮捕

9・20 新首相・菅が米大統領トランプと電話会談、「日米同盟のいっそうの強化」を誓約

9・23 原子力規制委員会が柏崎刈羽原発の保安規定変更案を了承、運転再開にお墨付き

9・24 自民・公明両党の安保関連部会で防衛相・岸がイージスアショアの代替案を「洋上案」に絞り、具体案検討の方針を提示

▽菅が文在寅との電話会談で元徴用工訴訟にかんする韓国の司法判断の「是正」を求める

▽新型コロナウイルス関連の解雇・雇い止めが6万439人にのぼると厚生労働省が発表

9・28 雇用調整助成金の2月からの累計1兆5265億円、当初予算枠を超える

9・29 菅が露大統領プーチンと電話会談。この日から露軍は「北方諸島」で軍事演習開始

▽ＮＴＴがドコモの完全子会社化を決定

9・30「デジタル庁」準備室発足。デジタル相・平井が同庁を恒久的組織にする考えを表明

▽21年度予算概算要求で一般会計総額が7年連続100兆円超。軍事費は過去最大の5・5兆円

▽わが同盟が「安保法制廃止 あいち集会」（名古屋市）で情宣。「菅政権の安保同盟強化・改憲攻撃を打ち砕け」と大書したビラを配布し、極反動攻撃への反撃を訴える。結集した700名が名古屋市街をデモ

9・20～21 全学連が第90回定期全国大会を開催。新型コロナ・パンデミック下で全学連がくりひろげた春期闘争の画期的地平をうち固め、敵基地先制攻撃の軍事体制構築阻止を焦眉の課題とする反戦反安保闘争、ＮＳＣ専制体制の強化を打ち砕く闘いの指針を提起。委員長・有木悠祐、副委員長・風間卓、同・比嘉隆一郎、書記長・中澤拓己の新三役と中央執行委員を選出

〔黒田寛一著作集・第一巻『物質の弁証法』がＫＫ書房から刊行。全40巻の刊行開始〕

第310号（2021年1月）

東雲　努　中東派兵反対・日米核安保同盟の強化反対！　改憲を阻止せよ――２・９労働者怒りの総決起集会　第２基調報告

溝江伯山　郵政春闘の戦闘的高揚を切り開け――JP労組本部の〝事業危機突破〟春闘への歪曲を許すな

村山　武　トヨタ生き残りに挺身する労働貴族

＜シリーズ　わが革命的反戦闘争の歴史＞

谷川涼太　1972年８―11月　相模原闘争三ヵ月の激闘

水俣四郎　1972年10・28　総評青年協北熊本闘争

○巻末年表　2019年12月～2020年１月

第307号（2020年7月）

＜特集＞新型コロナ禍　反安倍政権の炎を

無署名　貧窮人民を見殺しにする安倍政権を打倒せよ

蔵前　明　新型コロナウイルス出生の闇

無署名　＜パンデミック恐慌＞下での労働者人民への犠牲強制を許すな

無署名　生活保障なき「緊急事態宣言」の強権的発令反対！

無署名　政府は直接・無条件で休業補償せよ！　医療現場に資金・物資の即時供給を！

マル学同革マル派　安倍政権による困窮学生の切り捨て弾劾！　直ちに学費無償化・生活補償をおこなえ！

税所範代　新型肺炎禍で困窮する人民を見殺し

歌和　心　うた　職奪われしわれ、朝起き憤怒を詠めり

上坂あゆみ　東京の医療現場から　医療崩壊の危機下で奮闘する労働者

千秋　恵　都立・公社病院の「独立行政法人化」反対！――病床再編・削減を先導する都当局

〔コラム〕　苦闘する介護労働者――マスクがない　人手もない　感染対策の教育もない！

日比成二　臨時休校のもとで苦闘する教育労働者

S・K　感染の爆発的拡大を招いたトランプ

岸辺　学　私鉄総連指導部の超低額妥結を弾劾せよ――新型肺炎蔓延下での労働者への犠牲強制を許すな

〔コラム〕　感染の危険下で賃金削減・解雇攻撃にさらされるバス労働者

南原　裕　「交通政策要求実現」運動をのりこえ私鉄春闘をたたかおう

村山　武　自動車総連指導部の賃闘破壊に抗し闘いぬこう

益田伸行　JEC連合労働貴族の春闘破壊を許すな

反町　勝　NTT労組指導部の超低額・格差拡大妥結を弾劾せよ

紅　研吾　日本製鉄呉製鉄所の閉鎖反対！

高井戸登　郵政五年連続のベアゼロ妥結弾劾！　一万人削減攻撃を粉砕せよ

＜シリーズ　わが革命的反戦闘争の歴史＞

弾崎隆一　1973年９―11月　ミッドウェー横須賀母港化阻止闘争

○巻末年表　2020年２月～３月

第308号（2020年9月）

巻頭カラーグラビア　国家権力を震撼させた全学連の５・８決起　＜米中冷戦＞下の戦争的危機を突き破れ！　全国で起つ

国際反戦集会実行委　第58回国際反戦集会海外へのアピール　米中冷戦下の戦争勃発の危機を突き破る反戦闘争を創造せよ

無署名　香港国家安全維持法の制定・施

安芸喜太三　「イノベーション人材」育成のための高校普通科の再編
平尾謙司　安倍政権による大学への国家統制の強化
木多あかり　農業分野で強搾取される外国人労働者
＜シリーズ　わが革命的反戦闘争の歴史＞
山川鮎太　1970年　安保闘争の高揚を切り拓く
○巻末年表　2019年４月～５月

荻堂克二　1971年沖縄返還協定粉砕闘争　その１　沖縄全島を揺るがした５・19ゼネスト
水俣四郎　1971年沖縄返還協定粉砕闘争　その２　首都で燃えあがった調印・批准阻止闘争
○第57回国際反戦集会　海外アピール（英文）／海外からのメッセージ（原文）
○巻末年表　2019年６月～７月

第303号（2019年11月）

無署名　ネオ・スターリニスト習近平政権の香港人民への武力弾圧を許すな
大泉　柚　第57回国際反戦中央集会基調報告　アメリカのイラン攻撃反対！　憲法改悪阻止！　今こそ戦争勃発の危機を突き破る反戦の炎を
無署名　憲法改悪とペルシャ湾への日本国軍出撃を阻止せよ
無署名　日韓 GSOMIA 破棄と東アジアの地殻変動
無署名　安倍政権による韓国への報復的経済制裁を許すな
〔コラム〕徴用工判決に「一〇〇倍返し」を叫ぶ右派イデオローグ
伊平屋歩　「徴用工」―朝鮮人強制連行・強制労働の犯罪
西澤真実　かんぽ生命保険「不適切販売」労働者に責任を転嫁する郵政経営陣
奈良山出　郵政65歳定年制―低賃金で過酷な労働を強制
釜戸菜々　「介護の生産性向上」を号令――社会保障切り捨てを策す安倍政権
相馬克子　『資本論』につらぬかれたマルクスのパトスをわがものに
＜シリーズ　わが革命的反戦闘争の歴史＞

第304号（2020年１月）

無署名　サウジ石油施設への攻撃事件の意味するもの
中央学生組織委　憲法改悪阻止・反戦反安保の闘いの爆発を！
無署名　香港警察の実弾発砲弾劾！　緊急条例＝〝戒厳令〟布告反対！
無署名　消費税の増税強行を弾劾せよ
〔コラム〕混乱と新たな負担増を強いる「負担軽減策」
無署名　給付削減・負担増・高齢者就労　安倍政権による社会保障切り捨て
無署名　台風19号襲来に拱手傍観の安倍政権弾劾
無署名　台風15号被災人民を見殺し
猿田直彦　「野党連合政権」の白昼夢にふける代々木官僚――日共七中総
無署名　架空鼎談 partⅡ　「野党連合政権」の果てしない夢
科野百造　戦後三大謀略と日共の歴史的犯罪――「占領下の平和革命」路線のもとで裏切りの連続
〔コラム〕「解放軍」規定を正当化する不破＝志位指導部／謀略・三鷹事件の＜核心＞
木場潟涼　教職員の「働き方改革」への人事評価導入を許すな
木場潟涼　教員の過労死認定を拒否する災害補償基金石川県支部

新世紀 総目次 第301号（2019年7月）〜第310号（2021年1月）

第301号（2019年7月）

第302号（2019年9月）

『新世紀』バックナンバー

No.309 2020年11月

今こそ〈反戦反ファシズム〉の炎を!

菅新政権の反動攻撃を打ち砕け/第58回国際反戦集会基調報告/中国主敵の日米軍事一体化/中国全人代が示したもの/パンデミック恐慌下の攻撃/労働戦線の闘い/対象認識と価値意識・価値判断/黒田寛一著作集刊行にあたって

No.308 2020年9月

〈米中冷戦〉下の革命的反戦闘争を

反戦集会海外へのアピール/香港国家安全維持法弾劾/**特集 新型コロナ感染拡大 労働現場の報告**/困窮学生の切り捨て弾劾/自動車・鉄鋼・電機・NTT・教育戦線の闘い/パンデミック恐慌/「革命論入門」学習/ロッキード反戦闘争

No.307 2020年7月

新型コロナ禍 反安倍政権の炎を

人民見殺しの安倍政権打倒/コロナウイルス出生の闇/政府は休業補償せよ/困窮学生の切り捨て弾劾/奮闘する医療・介護・教育労働者/米の感染爆発/春闘圧殺に抗して—私鉄・自動車・化学・NTT・鉄鋼・郵政/73年横須賀闘争

No.306 2020年5月

安倍の新型コロナ対策の反人民性

無為無策の安倍政権/〈反安倍政権〉の闘いに起て/苦闘する医療労働者/情報統制に狂奔する習近平/決裂したCOP25/日共の綱領改定/20春闘の勝利をかちとれ/2・9労働者集会基調報告/郵政春闘/72年相模原・北熊本闘争

新世紀 第310号 (隔月刊)

日本革命的共産主義者同盟 革命的マルクス主義派 機関誌©

発行日 2020年12月10日

発行所 解 放 社

〒162-0041 東京都新宿区早稲田鶴巻町525-3

電話 03-3207-1261 振替 00190-6-742836

URL http://www.jrcl.org/

発売元 有限会社 K K 書 房

〒162-0041 東京都新宿区早稲田鶴巻町525-5-101

電話 03-5292-1210 振替 00180-7-146431

URL http://www.kk-shobo.co.jp/

ISBN 978-4-89989-310-3 C0030

落丁・乱丁本はおとりかえいたします。